Convite à navegação
uma conversa sobre literatura portuguesa

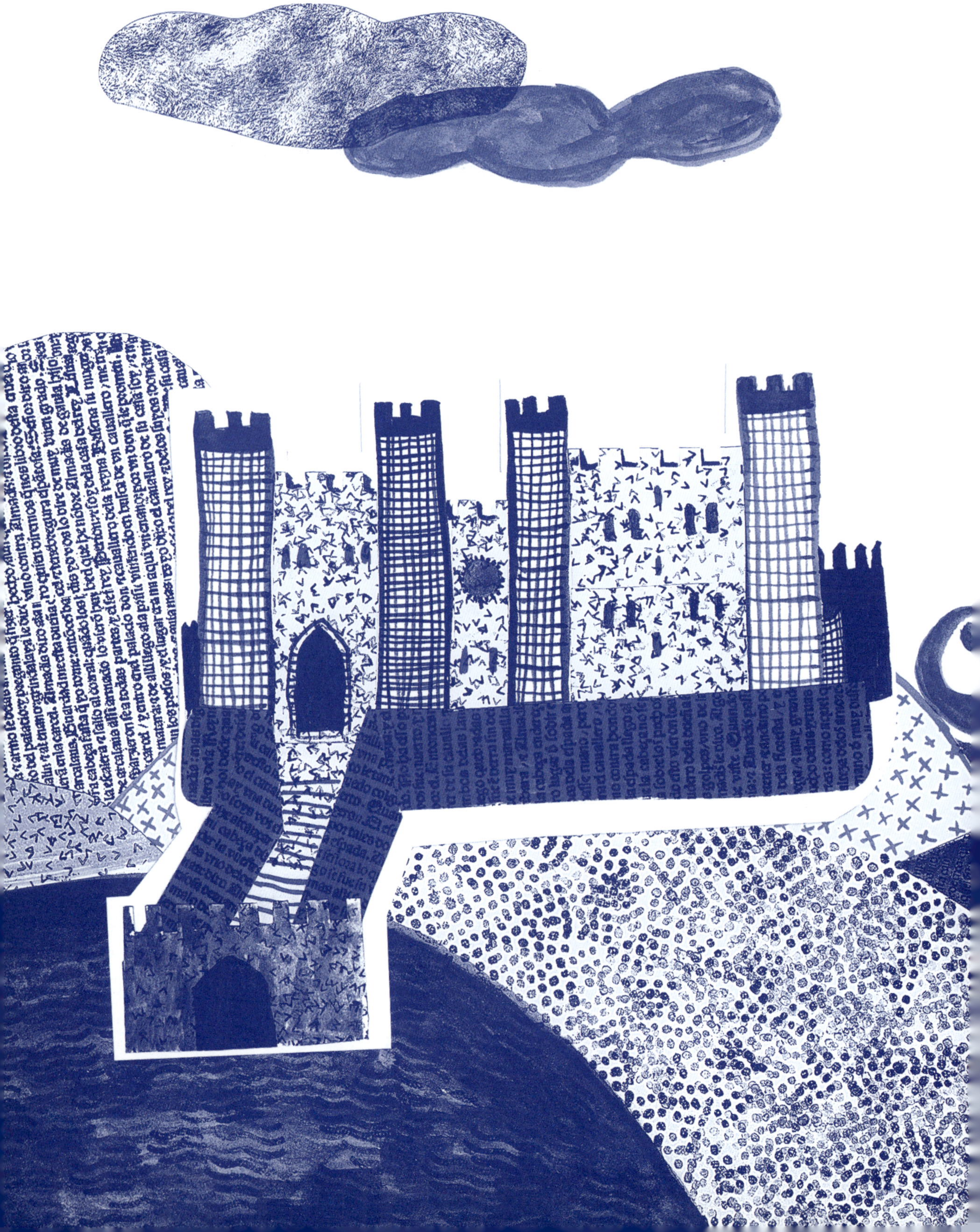

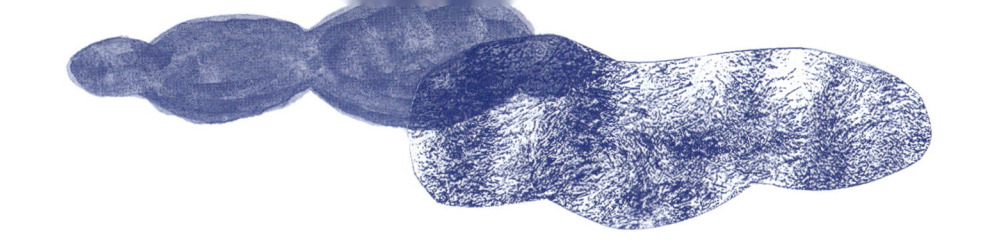

Convite à navegação
uma conversa sobre literatura portuguesa

Susana Ventura

Editora Peirópolis

ilustrações Silvia Amstalden

Uma conversa sobre viagens e o convite à navegação 7

Antes de tudo... sobrevoando o território europeu 10

Nas águas doces da poesia 24

Uma viagem por terra: rumo à Provença 25

Sonhando a navegação: plantam-se os pinheiros... 43

Um outro mar: mar de histórias 50

Construindo a embarcação, fixando a história... 57

Enfim, navegando, porque é preciso 70

Na barca... 73

Ainda uma pequena excursão terrestre: Itália do Renascimento 95

Por mares nunca dantes navegados: Luís de Camões, *Os Lusíadas* e algo mais 102

Adeus, adeus: embarcando numa certa jangada 122

Uma conversa sobre viagens e o convite à navegação

Como se inicia uma viagem por mar? Nem sempre começa quando embarcamos num navio, pois há muita preparação prévia até conseguirmos chegar ao embarque. Este texto é um convite a uma viagem por mar, por isso "Convite à navegação". Mas é também um convite para viajar ao passado, até um tempo em que as embarcações para grandes viagens marítimas ainda estavam sendo pensadas e tentadas. Até que se conseguisse inventar a caravela, primeira embarcação de transporte ocidental capaz de singrar mares por longas distâncias no século XV, muita coisa aconteceu. Por isso, nossa viagem começa pelo ar, sobrevoando o território europeu para chegar a uma de suas extremidades, à Península Ibérica, onde hoje estão situados Portugal e Espanha. E, em pleno ar, vamos para o passado, para a Idade Média, cadinho cultural das literaturas ainda em formação.

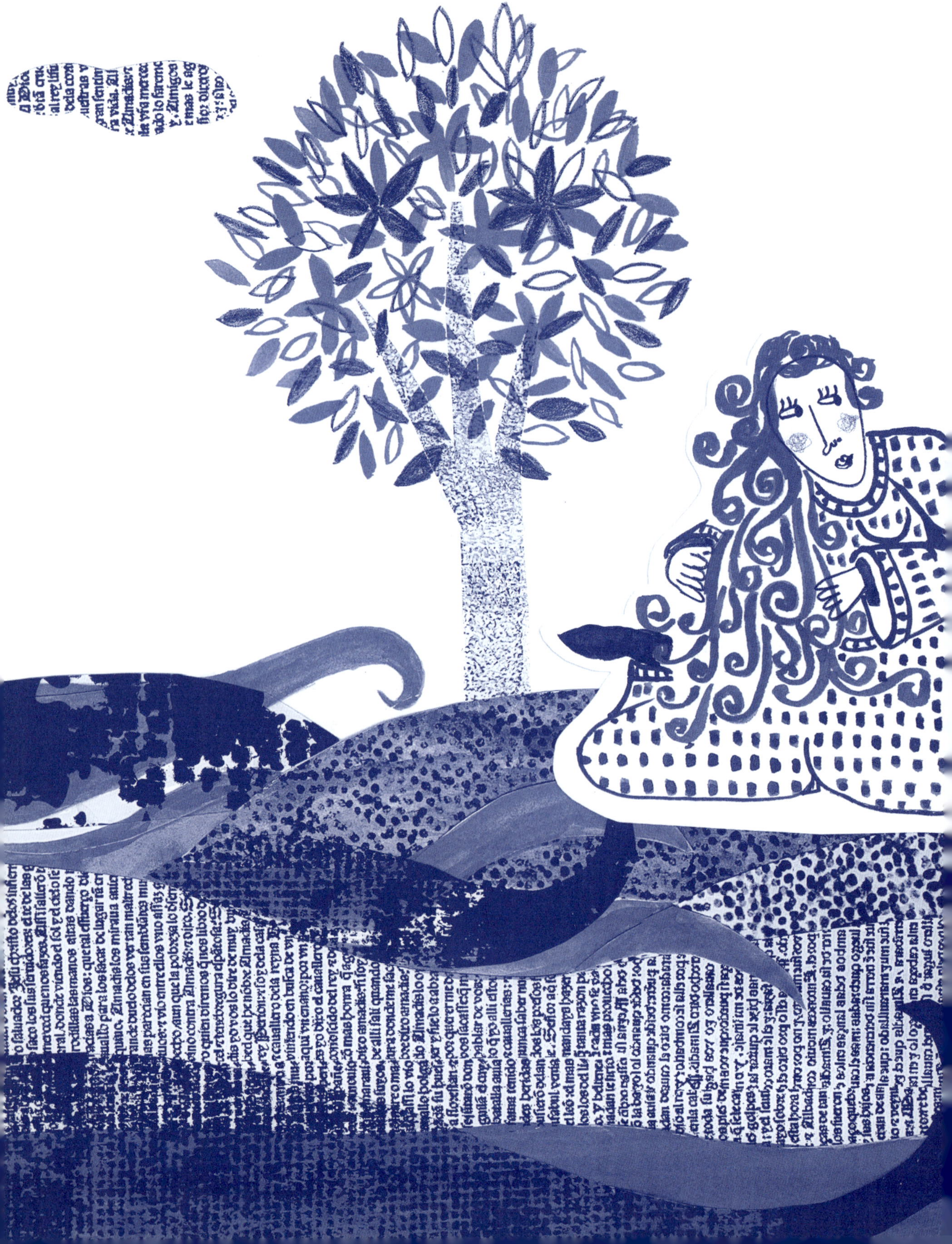

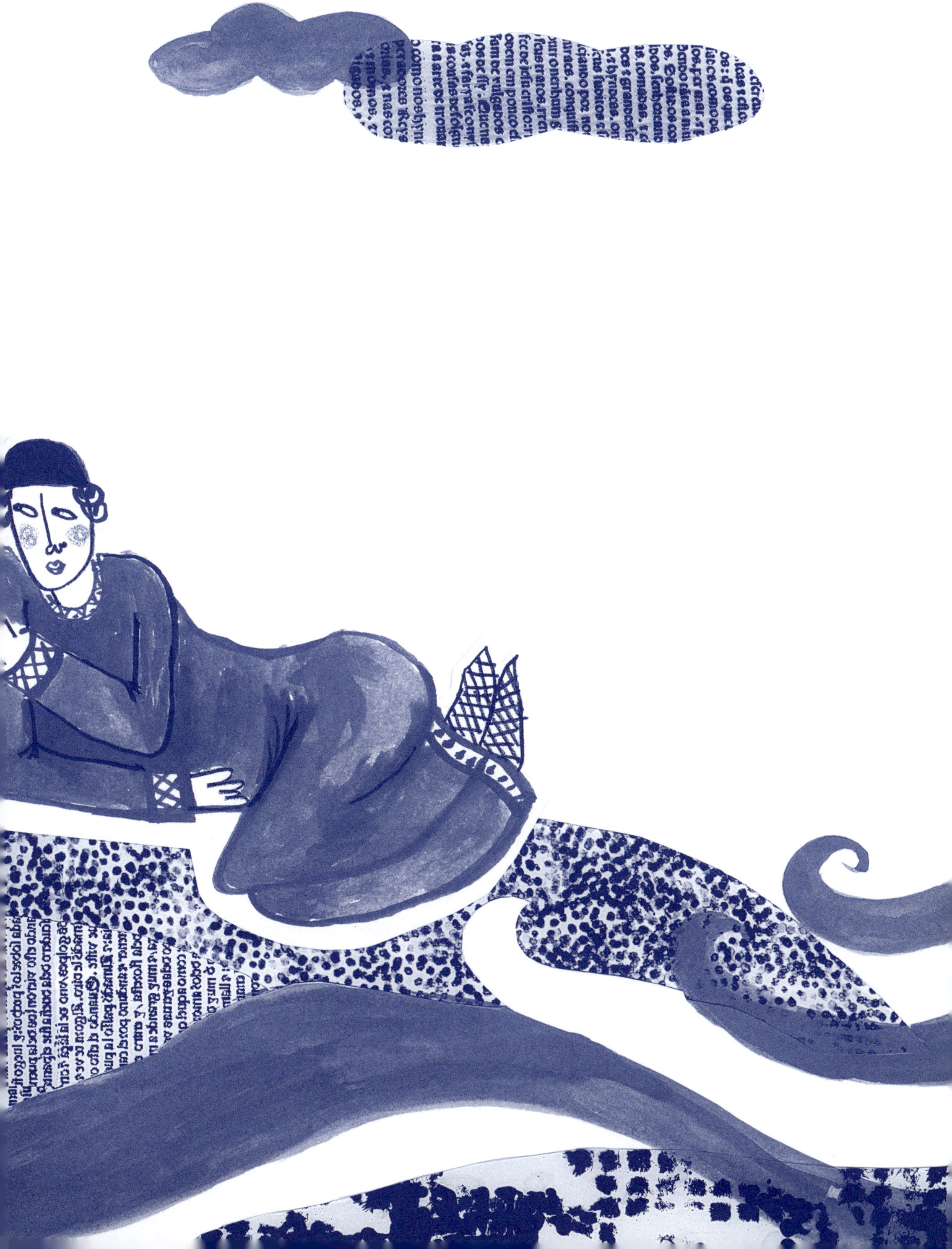

Antes de tudo... sobrevoando o território europeu

1. A Europa da Idade Média estava unificada pelo cristianismo. Para os cristãos da época, havia uma única religião oficial, a católica, e todos os seus representantes estavam unidos sob uma instituição que se denominava simplesmente Igreja.

2. Em Portugal, a partir do século XI, esta elite de homens de armas era composta por cavaleiros e escudeiros – os fidalgos – e também por nobres de alta linhagem – os infanções.

3. Os servos, segundo Benjamin Abdala Júnior e Maria Aparecida Paschoalin (*História social da literatura portuguesa*. São Paulo: Editora Ática, 1982, p. 10), eram "trabalhadores impedidos de deixarem o senhorio e obrigados ao pagamento de tributos, prestações de serviço e de uma renda proporcional à produção do ano". No contexto da Península Ibérica, também trabalhava nos feudos uma minoria composta por escravos muçulmanos capturados nas batalhas da Reconquista.

4. Os trabalhadores rurais tinham contratos de arrendamento ou recebiam salário.

Olhando para o começo das literaturas europeias, vamos nos deparar com o caldeirão cultural da Idade Média, período marcado pela oralidade, modo pelo qual a maior parte da população obtinha e transmitia saberes. Nas bordas desse mundo marcado pelo oral, um pequeno grupo, formado principalmente por representantes do clero, preocupava-se com uma face muito menos divulgada da cultura: a escrita. Principalmente usado com a finalidade de documentação, o universo da escrita era domínio de poucos, quase todos representantes de uma mesma instituição: a Igreja[1]. Os livros eram copiados à mão, página a página. A imprensa só seria inventada no século XV e, até então, os copistas, bem como os livros e quase todo o conhecimento escrito, ficavam restritos ao ambiente de alguns mosteiros e conventos.

O sistema social vigente na Europa era o Feudalismo, caracterizado pela imobilidade social, em que a terra era tida como valor supremo, ao lado dos desígnios de Deus, centro do mundo na lógica da época, o teocentrismo. Assim, o mundo feudal europeu se apresentava cindido entre senhores, servos e representantes da Igreja. Os proprietários de terra, conhecidos como senhores, eram os responsáveis pela segurança de seus domínios e de todos os que neles viviam. Para tanto, cercavam-se de uma elite de homens de armas, prontos para, sob comando do senhor, realizar a defesa do feudo em caso de guerra[2]. Vários senhores reunidos prestavam obediência a um rei, escolhido entre eles. Os trabalhadores da terra eram, em sua maioria, servos[3], mas também havia, em menor número, trabalhadores rurais livres[4], artesãos e ainda servidores domésticos. Os porta-vozes terrenos de Deus, membros da Igreja, constituíam o terceiro vértice desse triângulo e estavam basicamente divididos em alto e baixo clero.

A ideia de Deus como ser absoluto, centro de tudo e de quem emanava a ordem do mundo, ajudava a reafirmar a validade daquele tipo de organização social, baseada na imobilidade, obediência e servidão. Assim, a Igreja colaborava com a perpetuação da ordem feudal e tornava-se, ela própria, com o passar dos anos, uma rica senhora feudal, amealhando grandes propriedades de terra, herdando valores pela morte de senhores e por vários outros meios. Nessa Europa feudal, os estados nacionais ainda não estavam delimitados, portanto as fronteiras que hoje vemos nos mapas surgiram muito depois, em datas variáveis, de acordo com a região.

Focaremos, agora, nosso olhar num território específico, a Península Ibérica, hoje dividida em dois países: Portugal e Espanha. Se tomarmos um mapa físico, veremos que existe um obstáculo natural entre a Península Ibérica e o restante da Europa: uma cadeia de montanhas, os Pireneus. Esse obstáculo natural dificultava um maior contato dos povos dessas áreas com o restante da Europa nos primeiros séculos da era cristã (imaginemos as deficiências de estradas e transportes num mundo em que sequer a ideia do grande comércio havia surgido). Mesmo assim, a região era bastante povoada nesse período, uma vez que o Império Romano havia estendido seus domínios a esses territórios, controlando a região até o final do século IV.

A partir da dominação romana no século II antes de Cristo, a região da Península Ibérica ficou conhecida como Hispânia, sendo, no decorrer dos séculos, dividida em províncias menores. Com a queda do Império Romano no século V, toda a área da Península foi invadida e dominada por visigodos – bárbaros vindos do Norte –, que, por sua vez, brigavam entre si pela posse do território.

Voltemos ao mapa: vejamos como o sul da Península, banhado pelo mar, tem grande proximidade com a África – o que possibilitou migrações intensas e invasões a partir desse lado. Um dos líderes visigodos convidou, em 711, um guerreiro muçulmano, Tarik, para lutar a seu lado. Tarik liderou um grupo de guerreiros que, vindos da África, atravessaram o Estreito de Gibraltar e chegaram à Península Ibérica. Esses guerreiros muçulmanos ficaram genericamente conhecidos como "mouros" e acabaram por dominar, ainda no século VIII, todo o sul da região, tomando terras aos visigodos.

Pouco depois, os senhores de terra anteriormente estabelecidos nesse território, que se achavam unidos em torno da fé cristã, organizaram um movimento que ficou para a história com a denominação de Reconquista e que levaria oito séculos até se consolidar, culminando com a expulsão dos "mouros"[5]. A Reconquista teve como justificativa simbólica a recuperação de "terras cristãs" que se encontravam sob domínio dos "infiéis" (seguidores de outra fé, a muçulmana)[6].

Pensemos, então, na Península Ibérica como uma grande extensão de terras circundada pelo mar e delimitada pelos Pireneus, fronteira natural que a separa do restante da Europa. Essa porção territorial – que passou por invasões sucessivas, com forte influência árabe – desenvolveu uma cultura rica e particular, notável em muitos aspectos e em diversos campos do saber humano, da qual temos referências escritas desde o final do século X.

Ao nos lembrarmos da expansão marítima, que a partir do século XV mudaria a face do mundo, vemos que partiriam de Portugal e Espanha as expedições que atravessaram o oceano em várias direções. Muito tempo depois, no final do século XX, o primeiro escritor português a ganhar um prêmio Nobel

---

5. A Reconquista é concluída primeiro em Portugal, em 1253, com a tomada definitiva de Silves pelas forças de Afonso III, e, na Espanha, mais de dois séculos depois, em 1492, com a recuperação de Granada sob ordens dos Reis Católicos.
6. Naturalmente, se pensarmos um pouco, logo constataremos que, com a saída dos "infiéis", restaria, além das porções de território efetivamente "reconquistadas", muita terra para ser dividida entre os nobres que se habilitassem a lutar e a Igreja, uma das mentoras da ideia da Reconquista. A Reconquista não deve ser confundida com Cruzada. A Reconquista começa no século VIII, e a primeira Cruzada se efetiva no final do século XI (1096).

– José Saramago – publicaria um romance, A jangada de pedra, em que discorre sobre o que aconteceria caso a Península Ibérica se desmembrasse do continente europeu e vagasse pelo mar, como uma enorme embarcação que se aproxima, oceano afora, de suas antigas colônias da América e da África.

Mas, por agora, voltemos ao período anterior à fixação das fronteiras de Portugal e Espanha. Será uma viagem aérea a princípio, sobrevoando de maneira imaginária o território europeu e falando um pouco sobre a história de uma parte da Europa: a Península Ibérica.

No século XI, a Península Ibérica estava dividida em feudos, conforme a ordem reinante na Europa. Afonso VI, rei de Leão e Castela, conhecido como "conquistador de Toledo", conseguiu reunir sob seu domínio uma grande porção de terras, que já tinham sido consideravelmente aumentadas pela Reconquista.

Porém, há uma crônica em que o autor, em latim – língua usada para esse gênero narrativo, que pretendia realizar a fixação da história –, narra uma das batalhas em que se envolveu, a Batalha de Uclés (1108), durante a Reconquista, que terminou com a derrota do Reino de Leão e Castela. Segundo a crônica, Afonso VI, no entanto, perdeu mais do que simplesmente a batalha, perdeu seu filho. O cronista interrompe a narrativa em latim e dá a palavra a Afonso VI, que assim interpela os cavaleiros que combateram ao lado do filho:

> *Ay meu fillo! ay meu fillo, alegria do meu coraçon e lume de meus ollos, solaz de mia velhece! Ay meu espello en que me soia veer e con que tomaba gran prazer! Ay meu herdeiro mor. Cavaleiros u me lo leixastes? Dade-me o meu fillo, Condes!*[7]

7. Citado a partir de SARAIVA, António José. *Iniciação à literatura portuguesa*. São Paulo: Companhia das Letras, 1999, p. 16.

O dolorido lamento de Afonso VI, em que fala sobre seu filho e reclama seu corpo aos cavaleiros que com ele combateram, está expresso em galego-português. Seu autor provavelmente considerou – acertadamente – que a dor de um pai só poderia ser bem reproduzida na própria língua dele e, de preferência, pelas suas próprias palavras. Portanto, o cronista abre um "espaço de fala", interrompe a linguagem habitual da narrativa de acontecimentos, muda de tom e de língua ao dar voz ao rei, que, no momento, era apenas um pai desesperado reclamando seu filho, ainda que pudesse ter somente o corpo desse ente amado.

O galego-português era uma língua falada nas montanhas do noroeste da Península Ibérica (atual norte português e região da Galícia espanhola). Em outra parte da Península Ibérica, próximo ao País Basco, outra língua estava em consolidação: o castelhano.

Ambas as línguas – o galego-português e o castelhano – nasceram do latim falado na Península Ibérica desde a época do domínio romano. Foram se mesclando à chamada "língua moçárabe" – uma língua românica fortemente marcada por arabismos e falada pelos habitantes do Sul, onde a influência árabe era muito forte[8]. Essas línguas trabalhadas em adequações e fusões deram origem ao português e ao castelhano. Porém, uma divisão linguística clara – acompanhando uma divisão política também precisa – ocorreria muitos séculos depois do lamento de Afonso VI. Mas, por enquanto, importa-nos continuar a contar a história a partir desse episódio.

De acordo com o regime de alianças de terra e de poder que vigorava à época, Afonso VI casou suas duas filhas, Urraca (filha legítima) e Tareja (filha ilegítima), com nobres franceses que vieram lutar ao lado de Leão e Castela na Reconquista. Repartiu entre elas suas terras, cabendo à

8. "Moçárabe" é palavra derivada de um particípio árabe, significando "submetido aos árabes". Ao sul da península, o domínio muçulmano deixara subsistir em paz a população cristã, que passa a ser conhecida como "moçárabe". Paul Teyssier (*História da língua portuguesa*. Tradução de Celso Cunha. São Paulo: Martins Fontes, 2004, p. 7) fala sobre a língua desta população do sul: "Conhece-se pouco desses falares hispano-românicos, mas o suficiente para compreender que formavam, em toda a parte meridional da Península, uma cadeia contínua de dialetos bastante diferentes daqueles que, falados no Norte, serão mais tarde o galego-português, o castelhano e o catalão".

Urraca a região da Galícia e à Tareja a região conhecida como Condado Portucalense – uma extensão de terra entre dois rios, o Minho e o Tejo. Logo após a morte de Afonso VI, começaram os desentendimentos entre as famílias de Urraca e Tareja, que disputavam terras e poder.

O filho de Tareja, Afonso Henriques, conseguiu manter a autonomia do Condado Portucalense. Com forte apoio popular, conquista a independência de Portugal a partir de 1143, através de um acordo de paz firmado com Leão e Castela na Conferência de Zamora. Faltava, porém, o "selo" da Igreja, o reconhecimento pelo papa de que Afonso Henriques era rei e, portanto, Portugal, um país autônomo. O reconhecimento papal acontece em 1179, e a expulsão definitiva dos "mouros" do território português em 1253.

No reinado de Afonso Henriques, começa o desenvolvimento da navegação costeira e comercial, com a reestruturação e dinamização dos portos das cidades de Lisboa e Porto, fomentando o comércio. Também foi fundado, na região de Coimbra – praticamente no centro do território português – o Mosteiro de Santa Cruz, onde se produziam e se armazenavam livros, em sua grande maioria crônicas e anais em latim, referentes àquela região[9]. Nesse período, a língua oficial era uma espécie de latim já muito transformado pelo seu uso na própria Península Ibérica.

Toda a região foi, durante muito tempo, um lugar dominado majoritariamente pela oralidade, repleto de falares de transição. A população em geral adquiria e transmitia conhecimentos teóricos e práticos por via oral. Nesse universo, tradições populares, provérbios, sermões e outras manifestações culturais representavam importante fonte de informação e formação individual.

9. O testamento de Afonso Henriques, bem como o de seu filho Sancho I, foram escritos em latim. Mas, como veremos, Afonso II, neto de Afonso Henriques, deixou um testamento em português, datado de 1214, que é um dos primeiros documentos escritos em português. No entanto, outros reis portugueses, posteriores a ele, redigiram seus testamentos em latim – prova do uso de vários idiomas em documentos oficiais nesses séculos.

A contrapartida escrita desse mundo dominado pela oralidade se concentrava nos mosteiros e conventos, onde, pelo menos entre os séculos XII e XIV, poucos membros do clero e da nobreza aprendiam a ler e a escrever em latim. Especificamente em Portugal, começou-se a escrever em galego-português e, com o passar do tempo, também em português[10].

O neto de Afonso Henriques (ou Afonso I, já que inaugura a primeira linhagem de reis do novo país, Portugal), D. Afonso II (que reinou entre 1211 e 1223), nos legou um dos primeiros documentos escritos em galego-português – seu testamento.

Quanto aos primeiros usos do galego-português em documentos escritos em Portugal, temos uma série de antigos documentos (segundo as mais recentes pesquisas): o mais antigo seria a *Notícia de Fiadores*, de 1175; a seguir temos o *Testamento de Afonso II*, de 1214[11]; e a *Notícia de Torto*, um documento privado de 1214, aproximadamente.

A *Notícia de Fiadores* é uma comunicação – notícia mesmo – pública daqueles que emprestaram dinheiro ou venderam "fiado" a um fidalgo, Pelágio Romeu (ou Paio Soares Romeu), da família Paiva. A lista apresenta o nome do credor e, ao lado, o valor em "soldos" devido por Pelágio Romeu. O documento está num pergaminho que se encontra no Mosteiro de São Cristóvão de Rio Tinto, onde foi encontrado. No mesmo pergaminho – identificado como "pergaminho 10" – há outros textos, alguns em latim, também de caráter documental (doação de terras, relato de contas). Como no momento em que vivemos, século XXI, os documentos são muito importantes, primordiais para o cotidiano, não estranhamos que os primeiros registros em galego-português não sejam literários, e sim ligados à vida prática. Vamos a um contato direto com a linguagem usada naquele momento, olhando para o testamento do rei Afonso II.

---

10. Quanto ao uso do galego-português em obras literárias, o mais antigo caso conhecido se encontra numa cantiga, *Ora faz ost'o senhor de Navarra* (1196), do trovador João Soares de Paiva, seguida na linha do tempo pela anteriormente considerada primeira obra literária, *Cantiga de Guarvaia* ou *Cantiga da Ribeirinha* (antes com datação imprecisa de 1189 ou 1198, hoje considerada de 1198 ou posterior) do trovador Paio Soares de Taveirós. Chamamos a atenção para o fato de que novos documentos podem ser descobertos em arquivos, alterando essas informações.

11. Afonso II foi o rei da primeira dinastia portuguesa, a afonsina (nomeada a partir de Afonso Henriques). Ele sucedeu D. Sancho I.

> *En o nome de Deus. Eu rei don Afonso pela gracia de Deus rei de Portugal, seendo sano e saluo, tem(en)te o dia de mia morte a saude de mia alma e a proe de mia molier reina dona Vrr(aca) e de meus filios e de meus uassalos e de todo meu reino fiz mia mãda p(er) q(ue) depois mia morte mia molier e meus filios e meus uassalos e meu reino e todas aq(ue)las cousas q(ue) Deus mi deu en poder sten en paz e en folgãcia. P(ri)meiram(en)te mãdo q(ue) meu filio i fan[te] don Sãcio q(ue) ei da reina dona Vrr(aca) aia meu reino enteiram(en)te e en paz. E sse este for morto sen semel, o maior filio q(ue) ouuer da reina dona Vrr(aca) aia o reino enteg(ra)me te e en paz. E sse filio baron nu ouu(er)m(os), a maior filia q(ue) ouu(er)m(os) aia'o[12].*

Ao lermos o testamento, escrito nove anos antes da morte do monarca, podemos nos imaginar diante do rei que dita sua vontade para alguém que escreve. Mesmo passados oito séculos, não só conseguimos compreender o documento como também o sentimento que o move. Se desejarmos modernizar a linguagem e a pontuação, podemos ver que o início do testamento do rei em pouco difere do que seria feito hoje por alguém com muito dinheiro. Querem tirar a prova?

> *Em nome de Deus. Eu, rei D. Afonso, pela graça de Deus rei de Portugal, estando são e salvo, temendo o dia da minha morte, para a salvação da minha alma e para proveito de minha mulher, a rainha D. Orraca e de meus filhos e de meus vassalos e de todo o meu reino, fiz meu testamento para que depois de minha morte, minha mulher e meus filhos e meu reino e meus vassalos e todas*

12. *Testamento do rei Afonso II* (1214). Projeto BIT PROHPOR da UFBA. Disponível em www.prohpor.ufba.br/NDTO.doc. Acesso em: 22 abr. 2010.

aquelas coisas que Deus me deu para governar estejam em paz e em tranquilidade.

[Fragmento do *Testamento do rei Afonso II* em português modernizado]

Embora os registros mais antigos encontrados até o momento sejam de documentos, a literatura propriamente dita – a começar pela poesia – já existia e estava sendo documentada também na Península Ibérica. O pai de Afonso II, Sancho I, que reinou em Portugal entre 1185 e 1211, foi poeta e compositor, como veremos mais adiante. No entanto, em termos de documentação, é do lado da hoje Espanha, no reinado de Leão e Castela que, bem depois, a fixação da poesia de maneira documental aconteceu.

Vamos avançar no tempo e pelo território da Península para encontrar o responsável por parte da fixação em texto dessa poesia que, então, já era feita antes dos documentos que sobreviveram e são considerados até agora os mais antigos.

Alfonso X, conhecido como "o sábio", nasceu em 1211, quase no final do reinado do filho de Sancho I, Afonso II de Portugal, e teve uma longa vida para os padrões da época – viveu 63 anos, morrendo em 1284. Foi muito ativo para a cultura, adotando para seu reino uma língua própria, diversa do latim: o castelhano. Criou uma famosa escola de tradutores, responsável pela chegada à Península Ibérica de textos da antiguidade clássica, da *Bíblia* e de obras científicas de origem islâmica. Alfonso X não ganhou o apelido de "sábio" por acaso – soube ver a contribuição dos árabes que tanto tempo estiveram (e ainda estariam) na Península, e que, entre outros saberes, haviam primeiro traduzido para o árabe antigos e importantes manuscritos gregos. Alfonso X estimulou os eruditos de seu reino a conhecer e dominar a cultura árabe.

Nenhum dos saberes do período passou despercebido a Alfonso X – da astronomia à poesia, ele tratou de aprender, documentar e fomentar o conhecimento em seu reino, preparando o terreno para o florescimento científico e humano que iria ter como consequência a aventura das navegações. Mas até lá ainda precisamos viajar mais um pouco por terra e esperar que a navegação costeira pelas terras portuguesas avance bem mais... Por enquanto, vamos navegar nas águas da poesia.

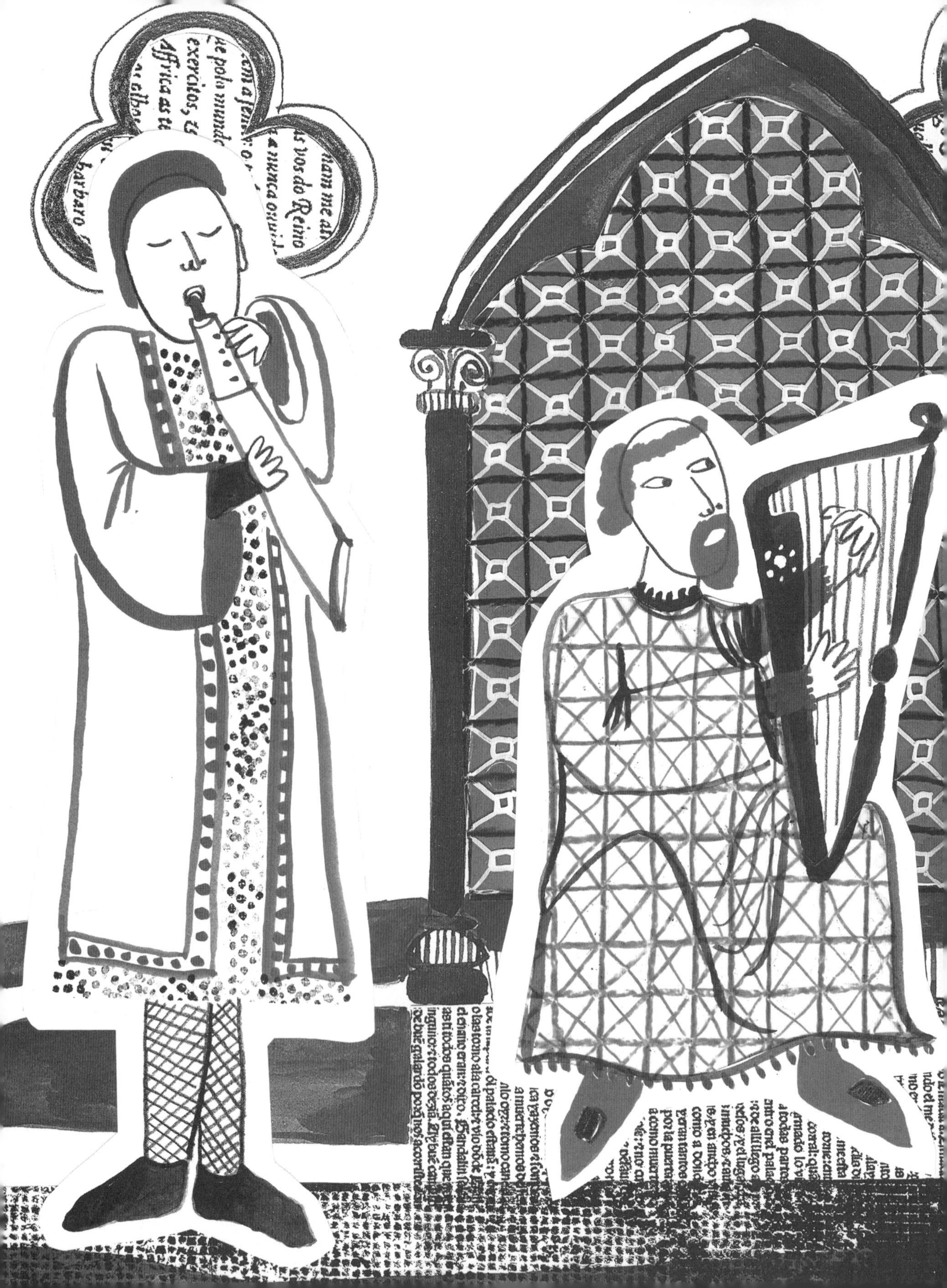
exercitos,
Affrica
barbaro
vos do Reino

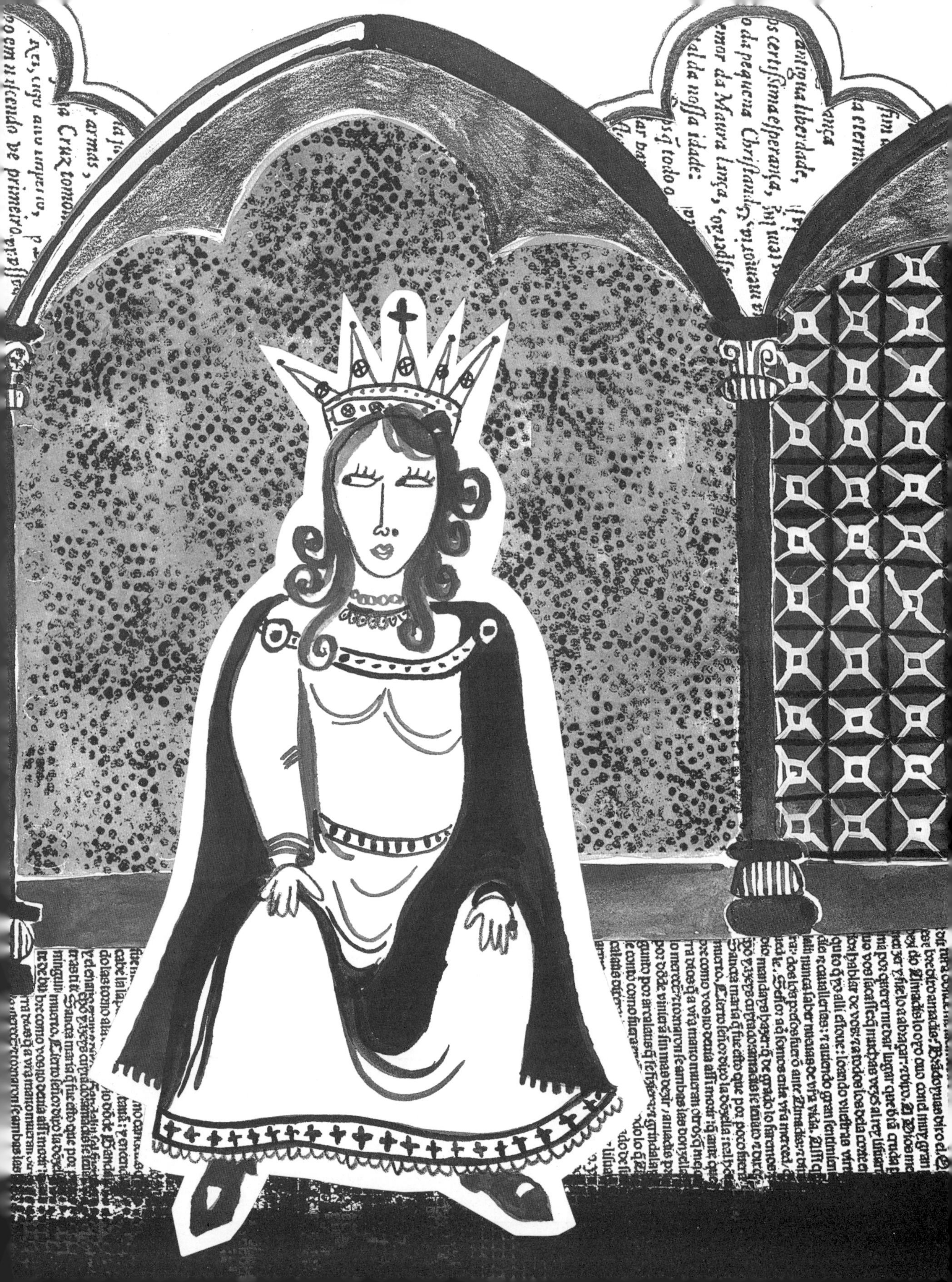

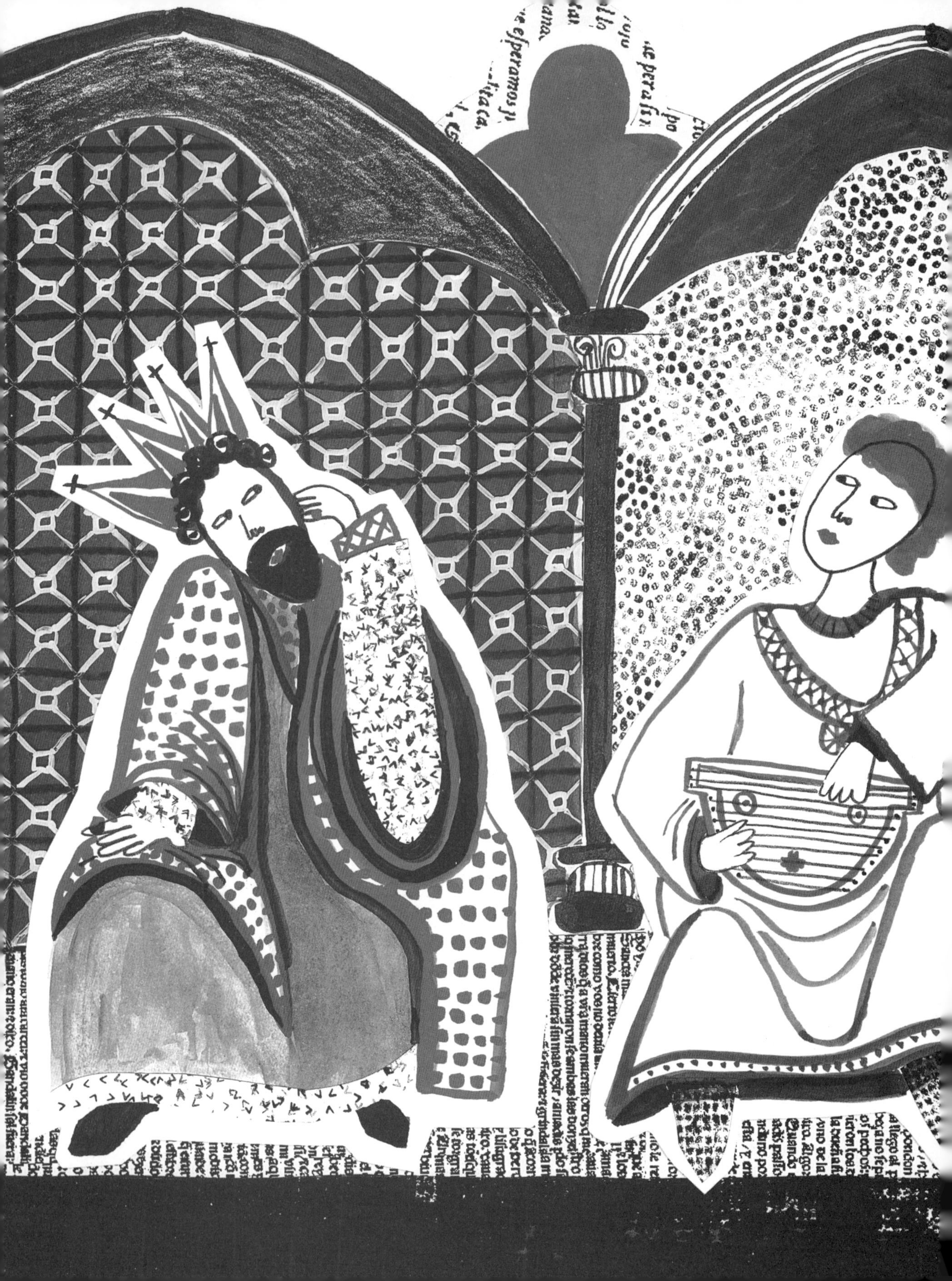

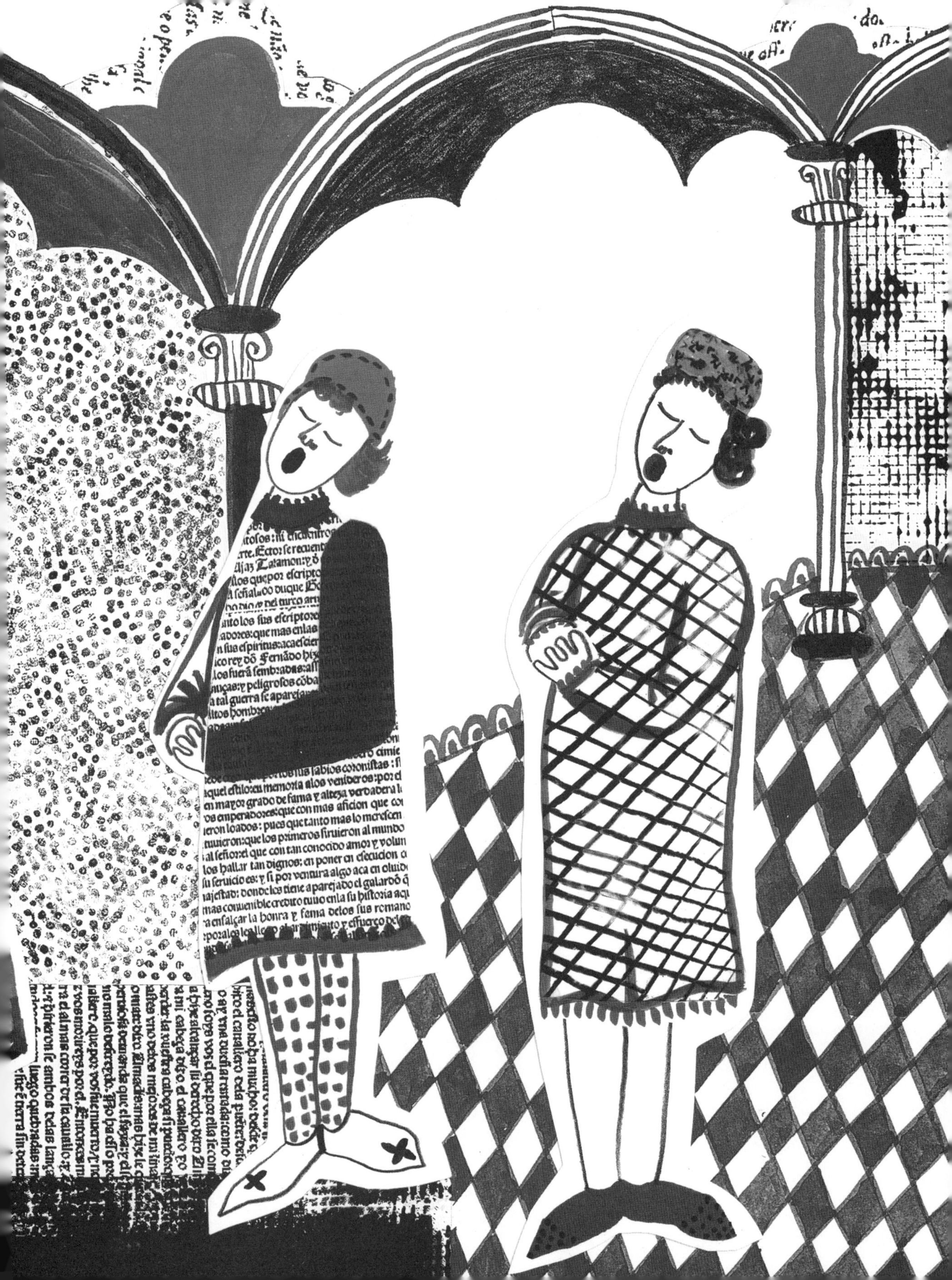

Nas águas doces da poesia

Sempre atento ao que de mais avançado se produzia, Alfonso X tomou conhecimento do movimento trovadoresco que invadia uma região além dos Pireneus. E não haveria obstáculos de pedra capazes de deter o nosso rei sempre sedento de saber. Mais uma vez ele foi realmente sábio. O que estava acontecendo era tão importante que influi na vida de todos nós, porque toca num ponto central das nossas vidas: o amor.

Amor? O que é que ele tem a ver com nossa viagem? Confiem em mim e vamos transpor os Pireneus.

A história literária da Europa moderna e nossa concepção de amor começaram a ser escritas nos finais do século XI pelos trovadores da Provença (região que ocupa parte do sul do atual território francês), onde passa a ser composta uma poesia lírica que influenciaria todo o lirismo europeu dos séculos posteriores.

Essa poesia trovadoresca provençal também é chamada occitânica, por ser composta em *langue d'occ* – a língua vulgar falada à época naquela região (e que subsiste parcialmente até os dias de hoje). Que tal experimentarmos ler um trecho de um poema de um grande trovador do século XII – *Chantars no pot gaire valer*, de Bernart de Ventadorn – em provençal?

Uma viagem por terra: rumo à Provença

Chantars no pot gaire valer,
si d'ins dal cor no mou lo chans;
ni chans no pot dal cor mover,
si no i es fin'amors coraus.
Per so es mos chantars cabaus
qu'en joi d'amor ai et enten
la boch'e.ls olhs e.l cor e.l sen [13].

Numa tradução livre, o poema fica assim:

Cantar não pode valer de nada,
se não parte do fundo do coração;
e para comover é preciso que lá dentro
exista um verdadeiro Amor.
Por isso minha poesia é perfeita,
porque para gozar plenamente o Amor emprego
a boca, os olhos, o coração e o saber.

13. Fragmento da cantiga *Chantars no pot gaire valer*. Citada de acordo a SPINA, Segismundo. *A lírica trovadoresca*. São Paulo: Editora da Universidade de São Paulo, 1996, p. 137.

O fragmento faz parte do poema mais conhecido de Bernart de Ventadorn e fala da base do trovadorismo provençal, o que traduzimos por "verdadeiro amor". Mas será que hoje, tantos séculos depois, nós descobrimos o que é "verdadeiro amor"? Antes da resposta, vamos ver o que os provençais deixaram dito sobre o assunto através da poesia.

O apogeu da poesia trovadoresca na região se deu no século XII e seu declínio começou no século XIII (especialmente após a cruzada contra os albigenses, que corroeu o poder dos senhores de terras, provocando a dispersão dos trovadores, que partiram em busca de outros protetores e de segurança para sua atividade).

Era uma poesia aristocrática cultivada nos castelos e apresentava uma visão de mundo inovadora. Em termos de influências, sem dúvida estavam presentes a da cultura árabe, a do culto à Virgem Maria, a litúrgica, a da poesia médio-latina, a da poesia clássica e aquelas de um "substrato cultural popular" da Romênia. A produção poética esteve intimamente ligada a um processo de individualização do poeta, estreitamente relacionada a uma nova situação social da mulher. Outrora relegada, a mulher passa a ter relevo, uma vez que se inicia uma vida social nos salões dos castelos, com uma programação de que ela não apenas faz parte, mas que também pode dirigir e determinar diretamente.

É criado, então, um código de comportamento amoroso, chamado primeiramente de "*fin'amors*" – palavra que aparece no poema de Ventadorn e que foi traduzida aqui por "amor verdadeiro". Mais tarde o restante da Europa, que passa a copiar o modo de compor dos trovadores provençais, batiza o comportamento amoroso com a expressão "amor cortês". O novo código tem como objetivo demonstrar que a nobreza pode residir no caráter do indivíduo, em seu valor moral e em sua conduta, e não apenas ser determinada por sua nobreza de sangue e valor militar.

O poema que começamos a ler acima continua assim[14]:

Não desejo que Deus me conceda o poder de
resistir ao Amor.
Ainda que soubesse que nada conseguiria e todos os dias
teria apenas desventuras,
meu coração permaneceria nobre.
E se tenho transportes de puro júbilo que não
consigo conter,
é porque tenho um coração leal e nele confio e persevero.

Os bobos maldizem o Amor por ignorância,
mas isso não tem importância, porque o Amor
não se rebaixa
a não ser que seja um Amor vulgar.
Não podemos chamar de Amor aquele que só tem nome
e aparência,
porque este é apenas interesse: só ama se possui.

A canção de amor de Ventadorn tem como destinatária uma dama ou "senhora":

Em bom lugar tenho posto as minhas esperanças,
quando ela me sorri belos sorrisos que cada mais desejo e
quero admirar;
é bondosa, generosa, leal e dedicada,
e faria feliz até mesmo a um rei.
Bonita, gentil, benfeita de corpo de uma maneira

14. Tradução proposta pela autora a partir daquela de Segismundo Spina (*A lírica trovadoresca*. São Paulo: Editora da Universidade de São Paulo, 1996, p. 137 e 138).

que a mim, que era pobre, me faz rico em contemplá-la.

Não tenho medo de nada e não amo senão a ela,
nenhum trabalho me assustaria se fosse para dar
prazer a ela.
Porque para mim parece Natal todos os dias em que seus
lindos
e divinos olhos me contemplam.
Mas ela me olha tão poucas vezes que a cada dia que
ela o faz
parece-me durar cem dias.

Não apenas para Bernart de Ventadorn, mas para todo o trovadorismo provençal, a mulher é elevada à posição de "senhora" e é o centro simbólico a que se destina a poesia e o código de comportamento do "amor cortês". Centro de todo o valor e beleza, a senhora preenche todo o espaço vital do poeta. No olhar está o início de tudo – é pelos olhos que a paixão ocorre e o trovador espera que a senhora o beneficie com seu olhar amoroso, que o faz sentir-se absolutamente fora do tempo e do espaço[15]. O amor – mesmo hoje em dia – é quase sempre provocado pelo encontro de olhares. Naquela época, o olhar feria de amor o trovador, que passava a vivê-lo como destino.

Mas quem era o trovador ou, melhor, quem eram os trovadores? Os trovadores – ao mesmo tempo poetas e músicos – eram membros da nobreza da região da Provença que aliavam o conhecimento de instrumentos musicais, como o alaúde, a dotes poéticos. Foram os criadores de uma poesia que se tornaria a fonte do lirismo europeu dos séculos posteriores, cunhando a ideia de amor romântico que ainda hoje norteia as sociedades ocidentais.

---

15. Na prática, tínhamos uma situação palaciana de corte, que era então formada por uma dama/senhora (provavelmente casada) cercada por diversos poetas/trovadores. Espelha a estrutura social do feudalismo, baseada na existência da relação senhor/vassalo, ou seja, de relações de vassalagem. Dessa maneira, na poesia provençal, as relações amorosas baseiam-se na submissão à senhora, no exercício de uma vassalagem humilde e paciente, à espera da "generosidade" da senhora, que pode ser expressa por pequenos gestos, sinais ou concessões, sem que a entrega amorosa esteja prevista. Muito pelo contrário, a sublimação dos desejos da carne é um "conseguimento" desejado, e mesmo o nome da senhora deve ser mantido em segredo, por questão de honra, ocasionando ainda mais sofrimentos ao poeta.

O Trovadorismo pode, então, ser visto como representante de uma mudança de mentalidade na Europa, uma vez que a individualidade ganha terreno com a atenção, exposição e exploração de um dos mais particulares sentimentos – o amor. A atenção e a valorização de uma experiência pessoal, individual, começam o processo de deslocamento do foco da vida de Deus (teocentrismo) para o homem (antropocentrismo), fato esse que chegaria ao seu auge nos séculos seguintes.

Alfonso X, sábio de verdade, vislumbrou que ali havia uma mudança. Então, ele, homem de cultura e profundamente afinado com todas as inovações com que teve contato, convidou trovadores para visitarem seu reino e ainda contratou outros músicos que tocavam o repertório composto por eles, os chamados jograis, para que pudessem se apresentar. Depois disso, e por toda sua vida, Alfonso X protegeu e patrocinou a maior parte dos trovadores e jograis do seu reino e dos reinos vizinhos de que se tem memória.

Sábio e humano, não se contentou em encantar-se com o modo como os provençais expressavam o sentimento amoroso: aprendeu a arte de compor poemas para cantar as dores e delícias causadas pelo desassossego que se instala quando nos apaixonamos:

Par Deus, senhor'
enquant'eu for
de vós tan alongado,
nunca en maior
*   coita d'amor,*
nen atan coitado,
foi eno mundo por sa senhor

homen que fosse nado,
penado, penado[16].

Embora algumas palavras pareçam estranhas numa primeira leitura, o sentido é praticamente transparente. O amante chama Deus por testemunha de seu sofrimento enquanto declara para sua "senhora", causadora do sofrimento ("senhor"), que, enquanto ele estiver tão afastado dela, não haverá no mundo nenhum homem em maior sofrimento ("coita" é o sofrimento de amor; e o que sofre, um "coitado"). O sentimento é avassalador: o poeta afirma que não há no mundo homem nascido ("nado") tão penado quanto ele. Herdamos do galego-português não apenas palavras que fazem parte do nosso dia a dia ("coitado", "coitada", como adjetivos para aqueles que sofrem, mesmo que não por amor), mas o modo de encarar o sentimento amoroso.

Acho que vale a pena lermos a cantiga inteira antes de continuarmos nossa conversa:

Par Deus, senhor[17],
enquant'eu for
de vós tan alongado[18],
nunca en maior
coita d'amor[19],
nen atán coitado
foi eno mundo[20]
por sa senhor
homen que fosse nado[21],
penado, penado.

---

16. Alfonso X, CBN 470: "Cantiga de amor". Disponível em: http://pt.wikisource.org/wiki/Par_Deus,_senhor. Acesso em: 15 ago. 2011.
17. "Senhor": senhora, a destinatária do poema.
18. "Alongado": longe, alonjado.
19. "Coita d'amor": sofrimento amoroso.
20. "Foi": houve; "foi eno mundo": houve no mundo.
21. "Nado": nascido.

Sen nulha ren[22], *sen vosso ben,*
que tant'hei desejado
que ja o sén[23]
perdí por én[24],
e viv'atormentado,
sen vosso ben,
de morrer én
ced'é mui guisado[25],
    penado, penado
Ca, log'alí
u[26] *vos eu vi,*
fui d'amor aficado[27]
tan muit'en mí
que non dormí,
nen houve gasalhado
e, se m'este mal
durar assí,
eu nunca fosse nado,
    penado, penado.

Embora, como vimos, Alfonso X tenha sido o soberano que instituiu o uso do castelhano como língua oficial do reino de Leão e Castela – a Espanha, como país, demoraria alguns séculos a se consolidar –, é em galego-português que se expressa em seus cantares. O galego-português ficou ligado de maneira indissolúvel à prática poética do Trovadorismo no território peninsular, uma língua literária. Era então uma convenção: quem fosse trovador na Península Ibérica deveria compor em galego-português.

O neto de Alfonso X, D. Dinis, será rei em Portugal e um dos maiores trovadores peninsulares. Coincidentemente será

22. "Ren": coisa; "nulha ren": nenhuma coisa.
23. "Sen": juízo.
24. "En": isso.
25. "Guisado": pronto, preparado.
26. "U": onde.
27. "Aficado": preso.

o rei que determinará o uso do português como língua oficial de Portugal e, no entanto, como trovador, se expressará também dentro da convenção: em galego-português.

Mas ainda é cedo para falarmos do neto de Alfonso X. Deixamos o nosso soberano agora mesmo a sofrer por amor, e é de amor que falaremos mais um pouco.

O amor cortês parte do princípio de que o amor é forte, perene de poesia, leal, inatingível, fonte de crescimento moral e sem recompensa. Então, esse amor repousa sobre o paradoxo de ser um amor que não espera a posse física e goza, inclusive, do estado de não possessão, embora mantenha no horizonte essa possibilidade sempre latente, o que impulsiona o exercício da corte amorosa. Alguns estudiosos[28] enfatizam essa tensão entre amor sensual e amor casto – em que o trovador ao mesmo tempo deseja e não deseja possuir amorosamente a senhora, se alimentando da tensão causada por essa situação. A impossibilidade de conjunção carnal com o ser amado reproduziria um amor "cristão", da ordem do sagrado, mas transposto para o plano pagão, uma vez que anseia pela realização física, que permanece como eterna possibilidade. A poesia trovadoresca tem como motivo central esse amor, visto como relação entre duas pessoas específicas (embora a senhora fosse, como vimos, possivelmente casada e estivesse cercada por vários pretendentes/trovadores).

A poesia provençal e o ideal do "amor cortês" difundiram-se não só pela Península Ibérica, mas por toda a Europa Ocidental, graças ao intercâmbio entre os centros emanantes de cultura, às viagens efetivadas pelos trovadores entre os diversos castelos senhoriais e reais e às alianças matrimoniais, com os consequentes laços de parentesco criados por elas.

---

28. Como Yara Frateschi Vieira, em "A poesia lírica galego-portuguesa". In: MONGELLI, Lênia Márcia de Medeiros et al. Direção de Massaud Moisés. *A literatura portuguesa em perspectiva: Trovadorismo e Humanismo*. São Paulo: Atlas, 1992, v. I, p. 25-54.

Geograficamente, as regiões mais próximas da Provença receberam influência mais direta, enquanto áreas mais afastadas, como a Península Ibérica e a Sicília – regiões marginais em relação à Europa Central –, sofreriam influência indireta e operariam maiores modificações e "traduções" às suas próprias necessidades sociais e anseios individuais e simbólicos.

Alfonso X criou um dos mais importantes acervos de canções em galego-português, e não apenas cantigas de amor, mas também em outras modalidades, as cantigas de amigo, de escárnio, maldizer e as cantigas de devoção. Além disso, ele documentou o que já havia sido feito, tanto em Portugal quanto nos outros reinos existentes na Península Ibérica.

Antes de deixarmos a corte de Alfonso X, vamos falar das cantigas de devoção, pelas quais o nosso rei sábio ficou muito conhecido. O conjunto, dedicado à Virgem Maria, se chama *Cantigas de Santa Maria*, e, por sua ordem, foi fixado em texto num belíssimo códice – livro – iluminado, obedecendo a uma disposição de cantigas de *miragres* e *loor*, ou seja, de milagres e louvor. Em que pesem os tantos séculos que nos separam de Alfonso X, seus versos podem ecoar em nós independentemente de barreiras temporais:

Miragres fremosos
faz por nos Santa Maria,
e maravillosos.

Fremosos miragres faz que en Deus creamos,
e maravillosos, por que o mais temamos;
porend'un daquestes é ben que vos digamos,
dos mais piadosos[29].
[Fragmento da Cantiga 36]

29. Cantiga *Miragres fremosos faz por nos* (CSM *Cantigas de Santa Maria* número 36).

Poesia e música andavam juntas no Trovadorismo, e, graças à organização construída no reinado de Alfonso X, as *Cantigas de Santa Maria* podem ser reproduzidas hoje, possibilitando que imaginemos como ecoavam nos ouvidos e corações dos habitantes de Leão e Castela há tantos séculos atrás. Não temos aqui a música, mas podemos ler e fruir inteiramente a cantiga 36 de Santa Maria.

Miragres fremosos
faz por nos Santa Maria,
e maravillosos.

Fremosos miragres faz que en Deus creamos,
e maravillosos, por que o mais temamos;
porend' un daquestes é ben que vos digamos,
dos mais piadosos.
Miragres fremosos...

Est' avo na terra que chaman Berria,
dun ome coytado a que o pe ardia,
e na ssa eigreja ant' o altar jazia
ent' outros coitosos.
Miragres fremosos...

Aquel mal do fogo atanto o coytava,
que con coita dele o pe tallar mandava;
e depois eno conto dos çopos ficava,
desses mais astrosos,
Miragres fremosos...

Pero con tod' esto sempr' ele confiando
en Santa Maria e mercee chamando
que dos seus miragres en el fosse mostrando
non dos vagarosos,
Miragres fremosos...

E dizendo: Ay, Virgen, tu que es escudo
sempre dos coitados, queras que acorrudo
seja per ti; se non, serei oi mais tudo
por dos mais nojosos.
Miragres fremosos...

Logo a Santa Virgen a el en dormindo
per aquel pe a mão yndo e vindo
trouxe muitas vezes, e de carne conprindo
con dedos nerviosos,
Miragres fremosos...

E quando s'espertou, sentiu-sse mui ben são,
e catou o pe; e pois foi del ben certão, non semellou log',
andando per esse chão,
dos mais preguiçosos.
Miragres fremosos...

Quantos aquest' oyron, log' ab veron
e aa Virgen santa graças ende deron,
e os seus miragres ontr' os outros teveron
por mais groriosos.
Miragres fremosos...

A experiência "literária" vivenciada pela população da Península Ibérica nos séculos XII e XIII estava, assim, indissociavelmente ligada à música. A "comunicação" da literatura era realizada pelos jograis, que, como já dissemos, eram artistas populares que reproduziam o repertório composto pelos trovadores. Os jograis eram itinerantes e andavam pelas feiras, castelos e aldeias, onde ofereciam espetáculos com música instrumental, malabarismo, mímica, recitação de texto e interpretações de canções. O registro da existência desses artistas medievais, em Portugal, aparece antes do nascimento do sábio rei Alfonso X de Castela, em documentos da corte do rei Sancho I, o segundo rei português – filho de Afonso Henriques –, que tinha jograis assalariados a seu serviço.

Essa "literatura cantada" foi compilada em coletâneas que se chamaram *Cancioneiros*. Alfonso X foi provavelmente o responsável pela encomenda e pelo início da elaboração do mais antigo desses cancioneiros que chegou aos dias de hoje – o *Cancioneiro da Ajuda*, considerado o mais importante conjunto de textos da época. O *Cancioneiro da Ajuda* é composto por trezentas e dez canções, quase todas de amor, escritas em galego-português [30].

D. Sancho I, pai de Afonso II, também compunha – era, então, um trovador –, sendo o presumido autor de uma das peças inaugurais da lírica trovadoresca galego-portuguesa, algo diferente das cantigas de amor e louvor que vimos até agora, uma cantiga de amigo. Vamos vê-la integralmente sem demora:

Ai eu coitada!
Como vivo en gram cuidado
por meu amigo
que ei alongado!

30. O conjunto da produção lírica trovadoresca galego-portuguesa chegou a nossos dias principalmente através de três grandes coletâneas manuscritas: o *Cancioneiro da Ajuda*, o *Cancioneiro da Vaticana* e o *Cancioneiro da Biblioteca Nacional de Lisboa* (antigo Colocci-Brancuti). (a) *Cancioneiro da Ajuda* – copiado provavelmente na corte de D. Alfonso X. Previsto para conter miniaturas e notação. Sua confecção foi interrompida, restando miniaturas incompletas e inexistindo notação musical. Cantigas de amor, de poetas anteriores a D. Dinis e os poetas seus contemporâneos. (b) *Cancioneiro da Vaticana* – mandado copiar no século XVI pelo humanista italiano Angelo Colocci-Brancuti. Contém cantigas de D. Dinis e seus contemporâneos. Não possui lugar previsto para miniaturas ou pauta

Muito me tarda
o meu amigo na Guarda!

Ai eu coitada!
Como vivo en gram desejo
por meu amigo
que tarda e non vejo!
Muito me tarda
o meu amigo na Guarda!

[*Ai eu coitada*, de D. Sancho I]

Na cantiga uma jovem lamenta que o "amigo" – palavra usada sempre para designar o que hoje é um "namorado" – demore muito na cidade portuguesa da Guarda. De autoria do rei D. Sancho, a voz que fala é a de uma mulher. Como assim? Usando a classificação proposta no tratado *A arte de trovar*[31]: a diferença entre a cantiga de amor e a de amigo reside naquele que "fala" no poema. Se quem fala é o homem, estamos diante de uma cantiga de amor. Já a "fala" feminina mostraria uma cantiga de amigo, como a que foi composta por D. Sancho I. No contexto português, especificamente, são as canções de amigo que têm uma particularidade e força incomuns, constituindo a sua diferença em relação ao trovadorismo europeu como um todo. A cantiga de amigo é possivelmente a grande contribuição do lirismo galego-português ao trovadorismo europeu considerado como um todo. Mostra a particularidade da região e expõe aspectos sociais e modos de viver sentimentos particulares da Península Ibérica.

Temos uma série de cantigas de amigo registradas a partir do século XII – mas em sua maior parte situáveis no século XIII – que parecem vir de um tempo muito anterior, sendo

musical. (c) *Cancioneiro da Biblioteca Nacional* – também mandado copiar pelo humanista mencionado. É o mais completo dos cancioneiros, contendo também o pequeno tratado de poética trovadoresca *A arte de trovar* (obra anônima). Não possui lugar previsto para miniaturas ou pauta musical. Nos cancioneiros galego-portugueses não resta praticamente registro da parte musical. São exceções encontradas até o momento as notações musicais de seis cantigas de amigo de Martin Codax, bem como dos fragmentos de sete cantigas de amor de D. Dinis.

31. TAVANI, Giuseppe. *A arte de trovar do Cancioneiro da Biblioteca Nacional de Lisboa*. Introdução, edição crítica e fac-símile. Lisboa: Edições Colibri, 1999.

remanescentes ou ao menos tributárias do espírito do tempo do domínio romano. Imersa num contexto rural, a mulher aparece numa fonte, sob galhos de árvores ou junto ao rio, onde lava roupa ou se prepara para tomar banho. Em algumas dessas canções, ela lembra ou espera pelo amado, evocando sua presença em conversa com elementos da natureza.

Há um lado teatral nas cantigas de amigo, em que a voz que se escuta parece, por vezes, "emprestada" à personagem, construída por um pensamento masculino e não plenamente vivida pela personagem-mulher. Um dos fatores que colabora para essa impressão é o erotismo que muitas vezes transpira dessas canções – por vezes a personagem chama a atenção para a beleza de seu próprio corpo ("eu, a velida", ou seja, a "benfeita de corpo"). Para a professora Elisabete Peiruque, isso trai a "procedência" masculina do discurso, porque quem por costume tece consideração sobre beleza de corpo é o homem e não a mulher. As mulheres, nas cantigas de amigo, também oferecem presentes íntimos ao amado – normalmente cintas, objeto carregado de erotismo mesmo na contemporaneidade. Parece, portanto, que é uma mulher, mas, no mais das vezes, vista de fora, por um olhar que valoriza certos aspectos físicos e atitudes considerados sedutores.

Mas nem só de erotismo vivem as cantigas de amigo. Muitas delas mostram a jovem numa romaria, com a mãe; em algumas, aparece o ambiente doméstico, em cenas em que a moça canta enquanto fia ou conversa com a mãe sobre o namoro. O namorado aparece também sendo recebido em casa e sendo apresentado à mãe, que autoriza o namoro. Vejamos um exemplo, de autoria do trovador Pedro de Viviaez:

Pois nossas madres van a San Simon
de Val de Prados candeas queimar,
nós, as meninhas, punhemos de andar
con nossas madres, e elas enton
queimen candeas por nós e por si
e nós, meninhas, bailaremos i.

Nossos amigos todos lá irán
por nos veer, e andaremos nós
bailando ante eles, fremosas en cós,
e nossas madres, pois que alá van,
queimen candeas por nós e por si
e nós, meninhas, bailaremos i.

Nossos amigos irán por cousir
como bailamos, e podem ver
bailar moças de bon parecer,
e nossas madres pois lá queren ir,
queimen candeas por nós e por si
e nós, meninhas, bailaremos i[32].

O tipo de ação desempenhada pelas mulheres nas canções de amigo portuguesas aponta para a relevância social feminina em comunidades ainda ligadas a um mundo rural e agrícola – onde elas são parte integrante do mundo do trabalho. Assim, as personagens das canções aparecem emitindo opiniões, escolhendo namorados, com expectativa de casamentos, ou mesmo lamentando e refletindo sobre o abandono ou demora do amado.

Parte representativa das canções de amigo é construída utilizando determinados recursos, como repetições e parale-

[32]. Pero de Viviaez, CV 336, CBN 698: "Cantiga de amigo". Projeto Vercial da Universidade do Minho. Disponível em: http://alfarrabio.di.uminho.pt/vercial/trovador.htm. Acesso em: 22 abr. 2011.

lismos, o que acentua seu caráter oral; necessidade de recursos de memorização; presença do canto e, talvez, da dança em sua apresentação.

Como um todo, a professora Yara Frateschi Vieira nos ensina que, no Trovadorismo galego-português, "estamos diante de uma literatura constituída e consciente de si", em que os poetas "participam, antes de mais nada, dessa comunidade de artistas, atentos ao que se produziu antes deles e ao que se produz à sua volta"[33], cientes do valor social, moral e poético que o novo código do "amor cortês" traz consigo.

Além de tudo, ao que tudo indica, na Península Ibérica até o século XIV os meios trovadorescos constituíam ambientes excepcionalmente abertos às críticas pessoais, sociais e mesmo políticas. Em Portugal e Castela, a nobreza e mesmo os reis foram alvo de críticas que ficaram registradas nos cancioneiros, o que mostra um ambiente de relativa liberdade, inclusive de criação, sem paralelo em outros territórios europeus no mesmo período. E essas críticas também se davam em poesia – e poesia cantada – nas cantigas satíricas, divididas em cantigas de escárnio e de maldizer.

Quanto às cantigas de escárnio e de maldizer, segundo o mesmo tratado *A arte de trovar*, são aquelas em que os trovadores se realizam querendo dizer mal de alguém. A diferença entre as duas reside na maneira de o fazer. Na cantiga de escárnio seriam usadas "palavras cobertas": crítica, portanto, velada. Já na cantiga de maldizer o vocabulário seria aberto, desabrido, podendo inclusive ser nomeada a pessoa a ser atingida. Antes de prosseguirmos, vamos experimentar ler uma cantiga de escárnio?

33. VIEIRA, Yara Frateschi. "A poesia lírica galego-portuguesa". In: MONGELLI, Lênia Márcia de Medeiros et al. Direção de Massaud Moisés. *A literatura portuguesa em perspectiva: Trovadorismo e Humanismo*. São Paulo: Atlas, 1992, v. I, p. 53.

Ai, dona fea, foste-vos queixar
que vos nunca louv'en [o] meu cantar;
mais ora quero fazer um cantar
en que vos loarei toda via;
e vedes como vos quero loar:
dona fea, velha e sandia!

Dona fea, se Deus me perdon,
pois avedes [a] tan gran coraçon
que vos eu loe, en esta razon
vos quero já loar toda via;
e vedes qual será a loaçon:
dona fea, velha e sandia!

Dona fea, nunca vos eu loei
en meu trobar, pero muito trobei;
mais ora já un bon cantar farei,
en que vos loarei toda via;
e direi-vos como vos loarei:
dona fea, velha e sandia![34]
[Cantiga de escárnio de João Garcia de Guilhade]

Os textos mais antigos reconhecidos como "literatura portuguesa" parecem ser representantes de cantigas satíricas, o que reforça, simbolicamente, o clima de liberdade de criação que perpassava as cortes ibéricas do período. O que hoje se considera como a primeira peça da literatura portuguesa é um fragmento do trovador João Soares Paiva, uma cantiga de escárnio intitulada *Ora faz ost'o senhor de Navarra*, de 1196, sátira política dirigida ao nobre Sancho de Navarra. Durante muitos anos, a *Canção da Garvaia* ou *Cantiga da Ribeirinha*, de Paio Soares de Taveirós, foi considerada a primeira obra da

34. Joan Garcia de Guilhade, CV 1097, CBN 1486: "Cantiga de escárnio". Projeto Vercial da Universidade do Minho. Disponível em: http://alfarrabio.di.uminho.pt/vercial/trovador.htm. Acesso em: 22 abr. 2011.

literatura portuguesa, antes da descoberta e datação precisas do fragmento de Soares Paiva. Curiosamente, os estudiosos oscilam entre classificar a *Canção da Garvaia* como canção de amor ou de escárnio, com maior tendência a esta última interpretação. Assim sendo, as duas primeiras representantes da literatura portuguesa parecem "falar" sobre a sociedade do período em que havia uma boa dose de liberdade de expressão.

Por falar em liberdade de expressão, que tal retomarmos a nossa viagem? O convite era à navegação... E, até agora, a viagem foi pelo ar – sobrevoando a Península Ibérica –, por terra – indo e voltando da Provença – e pelo tempo... Onde está a navegação oceanos afora? É tempo de construirmos nossa embarcação! E quem nos ajuda? Por enquanto, D. Dinis, rei português, trovador e neto de Alfonso X, o Sábio.

Sonhando a navegação: plantam-se os pinheiros...

Dom Dinis, neto de Alfonso X e rei de Portugal entre 1279 e 1325, foi um dos principais trovadores galego-portugueses, tendo composto mais de 130 cantigas – de amigo, de amor, de escárnio e de maldizer[35]. Ordena em seu reinado que o português se torne a língua oficial de Portugal, com seu uso imediato na redação de processos judiciais. Além disso, em seu governo foi criado o "estudo geral", semente geradora da primeira universidade instituída no país em 1290. Como seu avô Alfonso X, mandou que fossem traduzidas obras literárias importantes de outros idiomas para o português. Desenvolveu o comércio interno de maneira nunca antes vista no país, e foi também sob o mando deste rei que a agricultura recebeu incentivos e os pequenos proprietários foram beneficiados. Uma de suas decisões foi a de mandar plantar pinheiros – que forneceriam madeira ideal para a construção de embarcações – em terrenos alagados próximos à cidade de Leiria. Mais de seis séculos depois, ao compor *Mensagem*, publicado em 1934, Fernando Pessoa homenageia assim D. Dinis:

> *Na noite escreve um seu Cantar de Amigo*
> *O plantador de naus a haver,*
> *E ouve um silêncio múrmuro consigo:*
> *É o rumor dos pinhais que, como um trigo*
> *De Império, ondulam sem se poder ver.*
>
> *Arroio, esse cantar, jovem e puro,*
> *Busca o oceano por achar;*
> *E a fala dos pinhais, marulho obscuro,*
> *É o som presente desse mar futuro,*
> *É a voz da terra ansiando pelo mar*[36].

---

35. Alguns dos principais trovadores compreendem os reis portugueses D. Sancho I e D. Dinis e também compositores de várias localidades da península e diferentes estatutos de nobreza, como Martin Codax, Paio Soares de Taveirós, Aires Nunes, João Garcia de Guilhade, D. Tristan, Pero Garcia Burgalês, Pero da Ponte, Martin Soares e Nuno Fernandes Torneal.

36. PESSOA, Fernando. *Mensagem / Pessoa*. Organização Caio Gagliardi. São Paulo: Hedra, 2006, p. 52.

Dentre tantas realizações de D. Dinis, Fernando Pessoa escolhe dar relevo ao poeta que foi o soberano – o que enfatiza mostrando-o compondo o que de mais inusitado teve o trovadorismo galego-português: a cantiga de amigo; e o papel de antecipador da navegação marítima. Compara o cantar jovem e puro do poeta D. Dinis a um arroio, um rio, portanto, que busca o "oceano por achar". O mar é um "futuro", cujo presente é a "fala" do conjunto de pinheiros a produzir um "marulho obscuro", um som marítimo antes mesmo do mar, que é antecipação e pressentimento.

Num rei com tantas realizações, Fernando Pessoa pinça duas características: notável trovador e antecipador das navegações. E já que destaca as cantigas de amigo compostas pelo soberano, paremos alguns minutos na fruição de uma das mais conhecidas e exuberantes dentre elas: *Ai flores, ai flores do verde pino*, em seguida.

Ai flores, ai flores do verde pino,
se sabedes novas do meu amigo?
Ai, Deus, e u é?[37]

Ai flores, ai flores do verde pino,
se sabedes novas do meu amado?
Ai, Deus, e u é?

Se sabedes novas do meu amigo,
aquel que mentiu do que pos comigo!
Ai Deus, e u é?

37. "E u é?" significa "onde está ele?"

Se sabedes novas do meu amado
aquel que mentiu do que mi ha jurado!
    Ai Deus, e u é?

Vós me preguntades polo voss'amigo,
e eu ben vos digo que é san'e vivo.
    Ai Deus, e u é?

Vós me preguntades polo voss'amado,
e eu ben vos digo que é viv'e sano.
    Ai Deus, e u é?

E eu ben vos digo que é san'e vivo
e seerá vosc'ant'o prazo saído.
    Ai Deus, e u é?

E eu ben vos digo que é viv'e sano
e seerá vosc'ant'o prazo passado.
    Ai Deus, e u é?[38]

    É grande a delicadeza da canção em que a jovem pergunta exatamente às flores do pinheiro onde andará o amigo, que mentiu para ela e não cumpriu com o combinado. Ainda assim, ela se preocupa com ele, quer saber se está bem e onde está. Uma voz vinda do pinheiro responde à jovem aflita – sim, ele está bem e saudável.

38. CBN 568, CV 171. Disponível em: http://pt.wikisource.org/wiki/Ai_flores,_ai_flores_do_verde_pino. Acesso em: 15 ago. 2011.

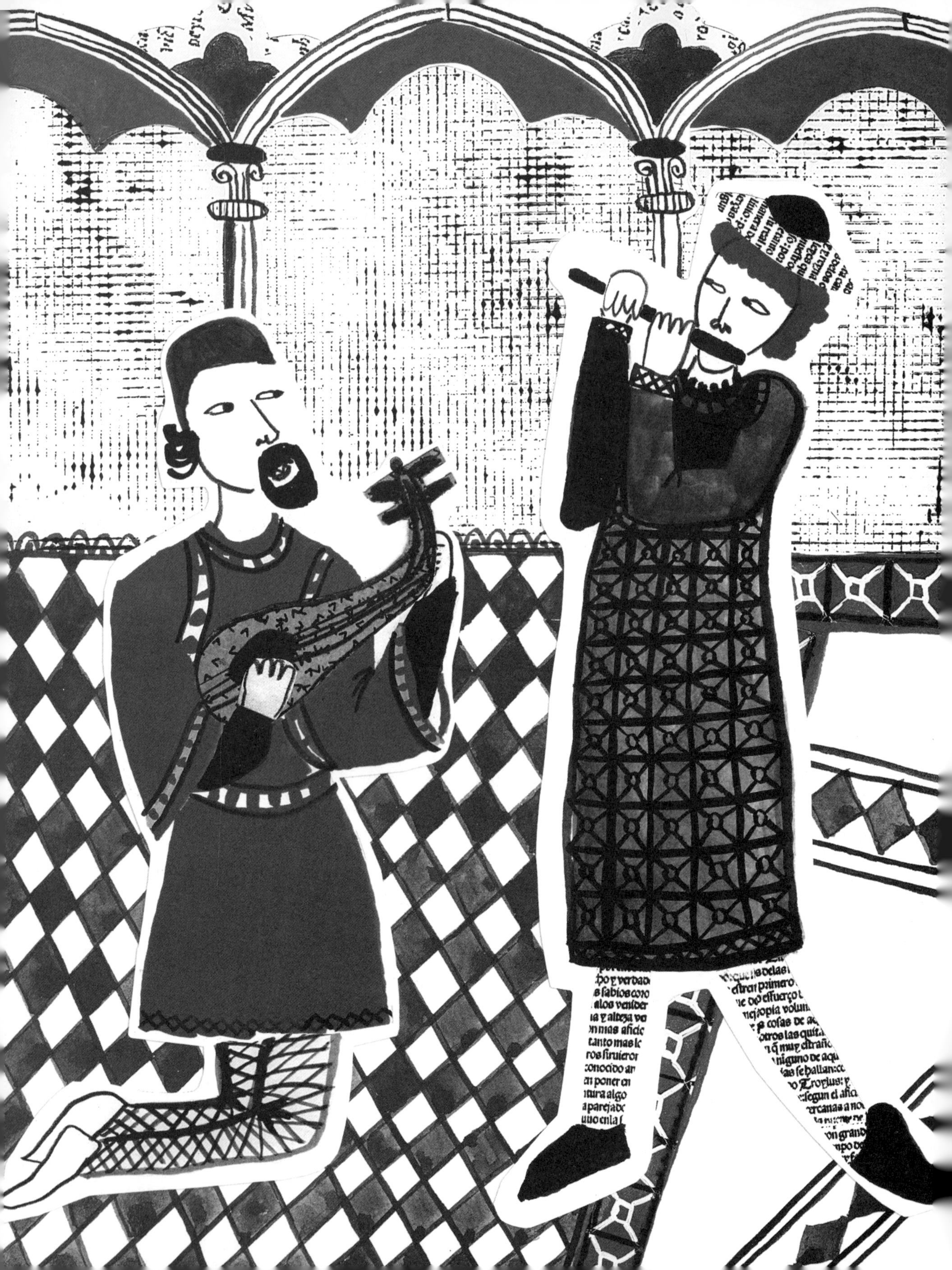

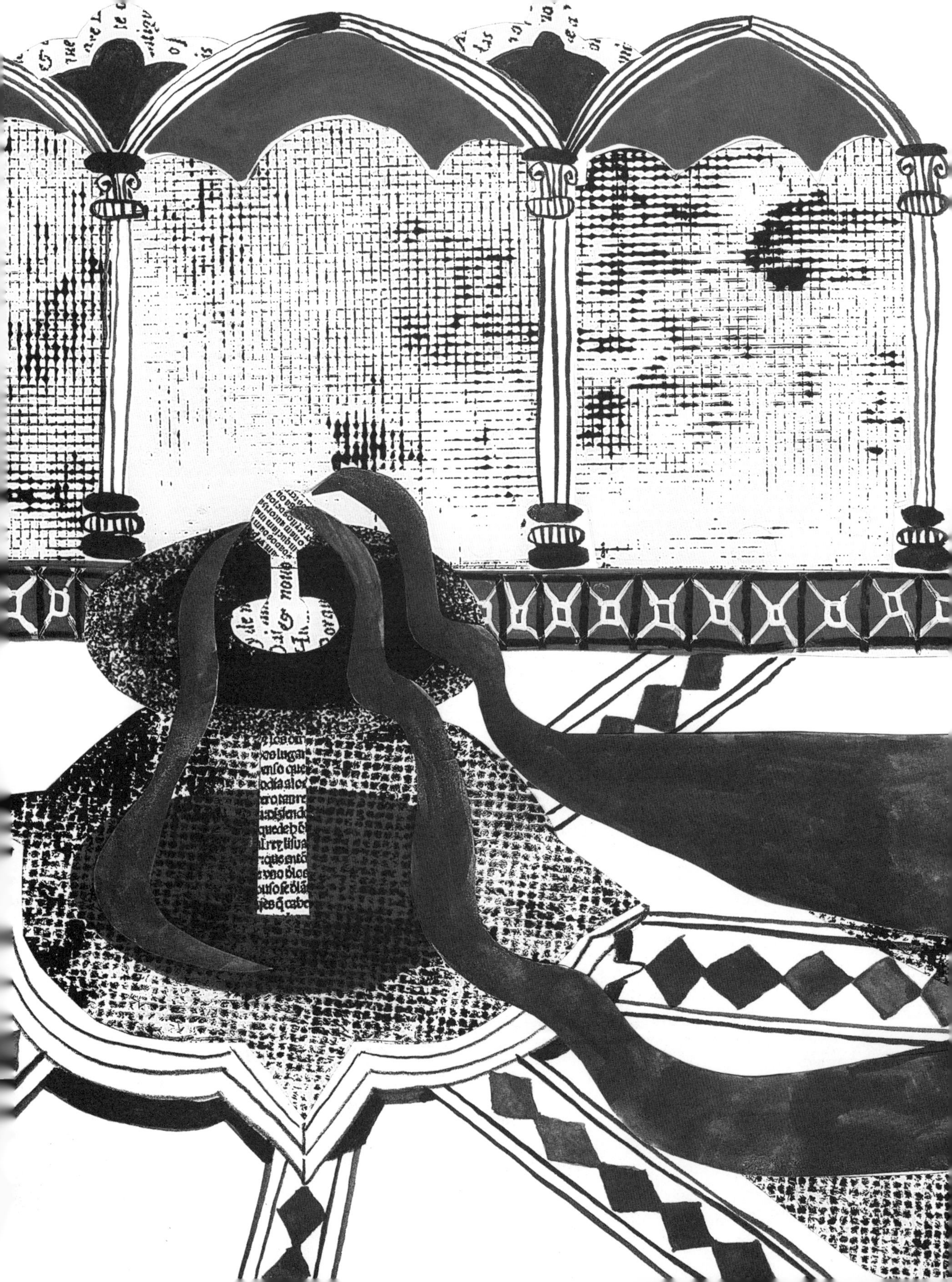

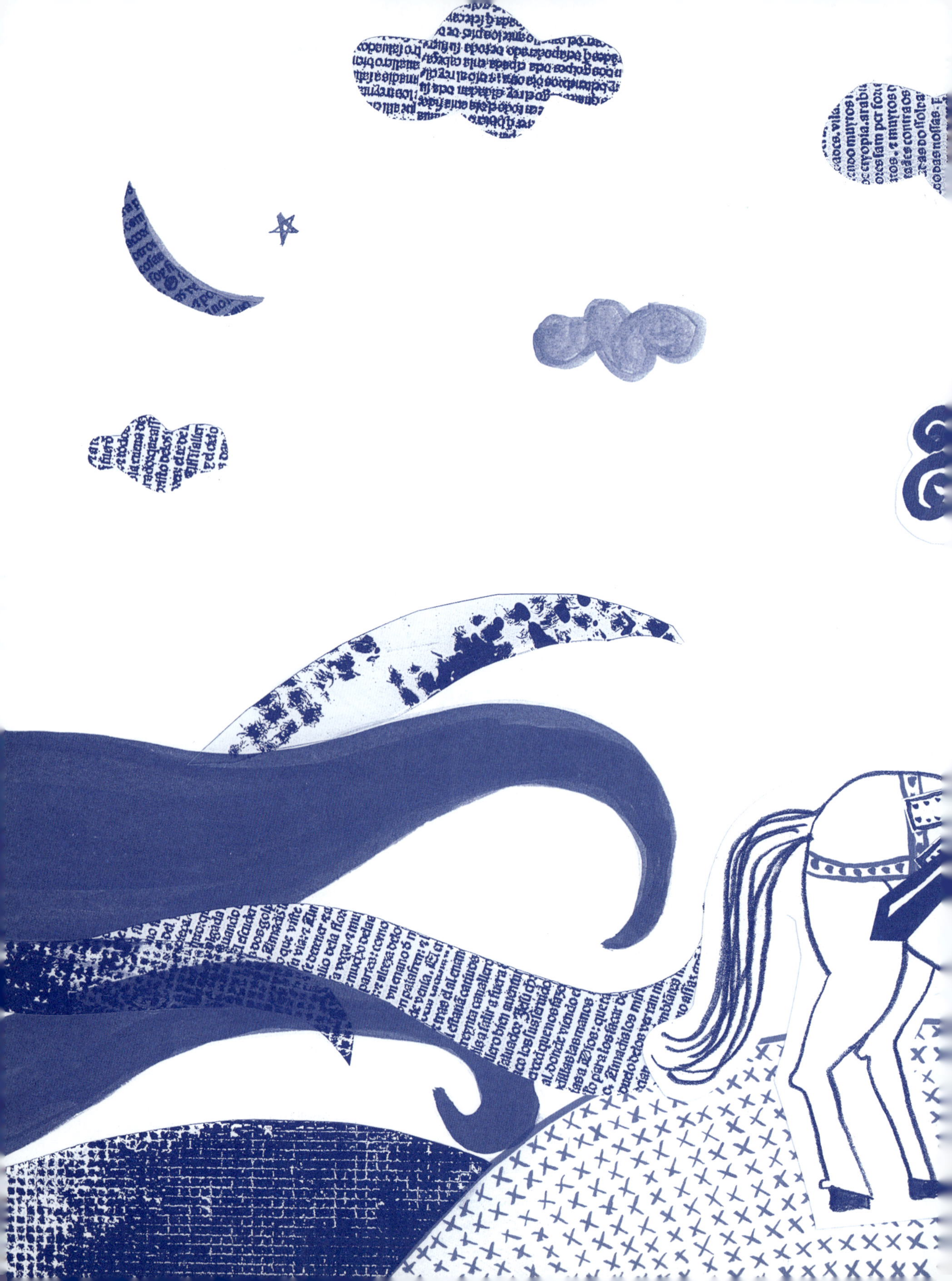

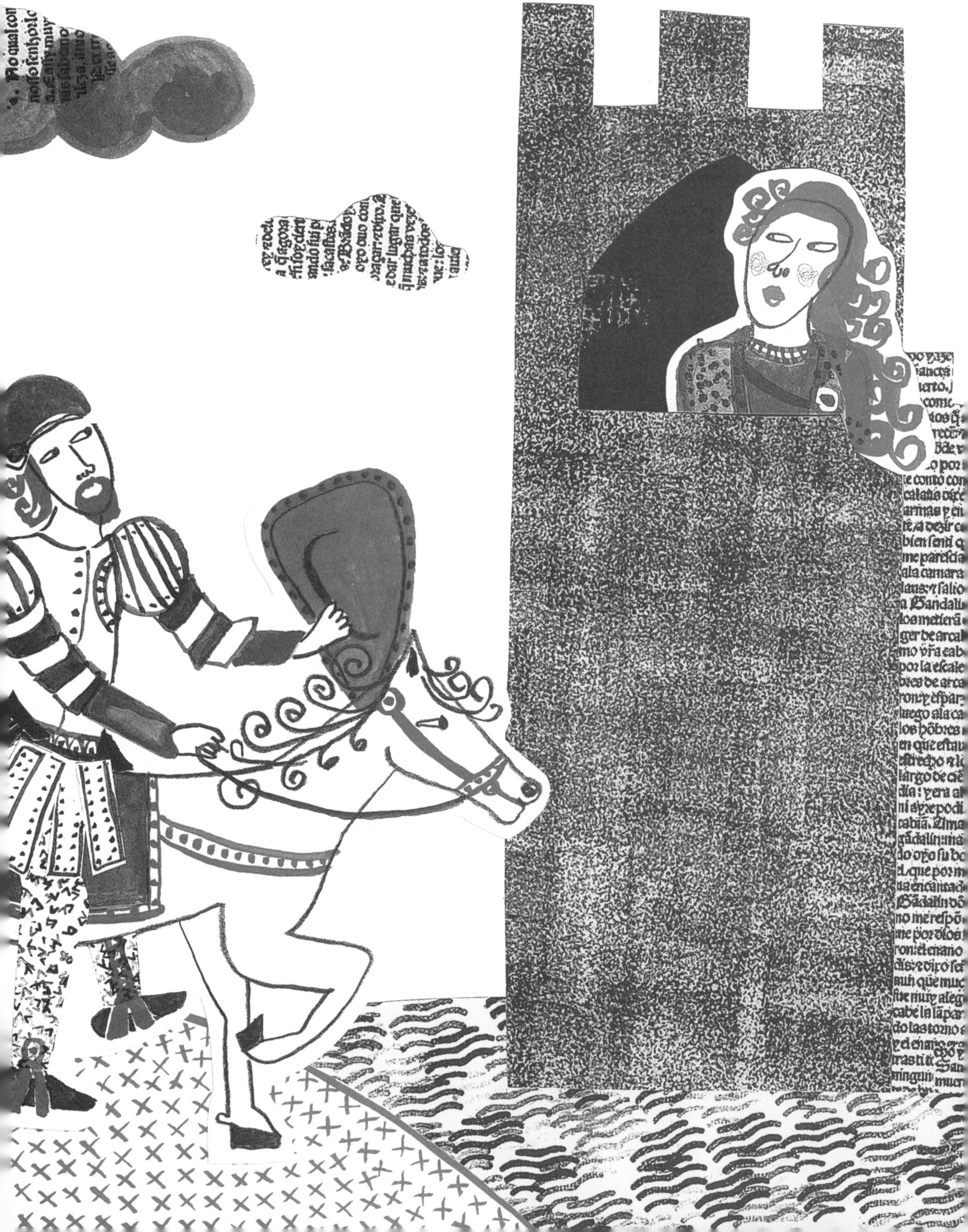

Um outro mar: mar de histórias

Mas será que as narrativas não tinham lugar nesse contexto peninsular dominado pelos trovadores e jograis?

Como sabemos, os seres humanos adoram contar e ouvir histórias. Será que naquela época era diferente? Não, não era! Os próprios jograis também cantavam histórias – cantares épicos, as chamadas "canções de gesta" – pelo menos desde o século XII. A principal era a história de um herói espanhol que lutara contra os mouros no século X, Cid, e a obra, anônima, ficou conhecida como *Cantares del Mio Cid* ou *Cantares del Cid Campeador*. Em Portugal restou, da mesma época, pelo menos um texto que, segundo os estudiosos, comprova a existência da épica jogralesca portuguesa: a *Lenda de D. Afonso Henriques*.

Outra influência sofrida pela Península Ibérica a partir do século XIII foi a das novelas de cavalaria, cuja origem foram traduções de originais em francês de aventuras dos cavaleiros do rei Artur – a chamada "matéria da Bretanha". As traduções do francês, do qual o exemplo mais representativo é *A demanda do Santo Graal*, são as primeiras manifestações do gosto pela prosa na Península Ibérica. Vamos ler um fragmento de *A demanda do Santo Graal*.

> *Véspera de Pinticoste foi grande gente assüada em Camaalot, assi que podera homem i veer mui gram gente, muitos cavaleiros e muitas donas mui bem guisadas. El-rei, que era ende mui ledo, honrou-os muito e feze-os mui bem servir; e toda rem que entendeo per que aquela corte seeria mais viçosa e mais leda, todo o fez fazer.*
>
> *Aquel dia que vos eu digo, direitamente quando queriam poer as mesas – esto era ora de noa[39] – aveeo que üa*

39. "Hora de noa": uma das horas canônicas. O dia, para um mundo onde a ordem religiosa imperava, era dividido em horas destinadas a orações e meditações específicas.

donzela chegou i, mui fremosa e mui bem vestida. E entrou no paaço a pee, como mandadeira. Ela começou a catar de üa parte e da outra, pelo paaço; e perguntavam-na que demandava.

– Eu demando – disse ela – por Dom Lançarot do Lago. É aqui?

– Si, donzela – disse üu cavaleiro. Veede-lo: stá aaquela freesta, falando com Dom Gualvam.

Ela foi logo pera el e salvô-o. Ele, tanto que a vio, recebeo-a mui bem e abraçou-a, ca aquela era üa das donzelas que moravam na Insoa da Lediça, que a filha Amida del-rei Peles amava mais que donzela da sua companha i.

– Ai, donzela! – disse Lançalot – que ventura vos adusse aqui, que bem sei que sem razom nom veestes vós?

– Senhor, verdade é; mais rogo-vos, se vos aprouguer, que vaades comigo aaquela foresta de Camaalot; e sabede que manhãa, ora de comer, seeredes aqui.

– Certas, donzela – disse el – muito me praz; ca teúdo e soom de vos fazer serviço em tôdalas cousas que eu poder. Entam pedio suas armas. E quando el-rei vio que se fazia armar a tam gram coita, foi a el com a raïa e disse-lhe:

– Como leixar-nos queredes a atal festa, u cavaleiros de todo o mundo veem aa corte, e mui mais ainda por vos veerem ca por al – deles por vos veerem e deles por averem vossa companha?

– Senhor, – disse el – nom vou senam a esta foresta com esta donzela que me rogou; mais cras, ora de terça[40], seerei aqui.

["Galaaz é sagrado cavaleiro", fragmento de *A demanda do Santo Graal*]

40. "Hora de terça": outra das horas canônicas mencionadas na nota anterior.

O professor Heitor Megale modernizou o português de *A demanda do Santo Graal*, realizando para tanto uma pesquisa que durou muitos anos. Vamos ler o mesmo trecho segundo o trabalho do professor[41]:

Véspera de Pentecostes, houve muita gente reunida em Camalote, de tal modo que se pudera ver muita gente, muitos cavaleiros e muitas mulheres de muito bom parecer. O rei, que estava por isso muito alegre, honrou-os muito e fez servi-los muito bem e toda coisa que entendeu que tornaria aquela corte mais satisfeita e mais alegre, tudo mandou fazer. Aquele dia que vos digo, exatamente quando queriam pôr as mesas – isto era hora de noa – aconteceu que uma donzela chegou muito formosa e muito bem vestida; e entrou no paço a pé, como mensageira.

Ela começou a procurar de uma parte e de outra pelo paço; e perguntaram-lhe o que buscava.

– Busco, disse ela, dom Lancelote do Lago. Está aqui?

– Sim, donzela, disse um cavaleiro. Vede-o: está naquela janela falando com dom Galvão.

Ela foi logo para ele e saudou-o. Ele, assim que a viu, recebeu-a muito bem e abraçou-a, porque aquela era uma das donzelas que moravam na ilha da Lediça a quem a filha Amida do rei Peles amava mais que a donzela da sua companhia.

– Ai, donzela! disse Lancelote, que ventura vos trouxe aqui? Que bem sei que sem razão não viestes.

– Senhor, verdade é; mas rogo-vos, se vos aprouver, que vades comigo àquela floresta de Camalote; e sabei que amanhã, à hora de comer, estareis aqui.

41. MEGALE, Heitor. *A demanda do Santo Graal*. São Paulo: Companhia das Letras, 2008.

– Certamente, donzela, disse ele, muito me agrada, pois tenho obrigação de vos servir em tudo que puder.
Então pediu suas armas. E quando o rei viu que se fazia armar com tanta pressa, dirigiu-se a ele com a rainha e disse-lhe:
– Como? Deixar-nos quereis em tal festa, quando cavaleiros de todo o mundo vêm à corte, e muito mais ainda por vos verem que por outro motivo: uns para vos verem, e outros por terem vossa companhia?
– Senhor, disse ele, não vou senão a esta floresta, com esta donzela que me pediu, mas amanhã, à hora de terça, estarei aqui.

As novelas de cavalaria mostram a evolução para a forma escrita das poesias de temas guerreiros, as mencionadas canções de gesta, que eram originalmente musicadas e cantadas pelos jograis. Com isso, poesia e música/*performance* se separam. O modo de apresentação se modifica: as histórias deixam de ser cantadas pelos jograis e passam a ser lidas em voz alta nos salões. Embora as aventuras da corte de Artur e seus cavaleiros representassem a mais forte vertente na Península, também outras traduções, a partir de histórias de outras culturas, foram realizadas em Portugal nesse período, como, por exemplo, uma versão cristã da vida de Buda feita em Alcobaça, a *História de Barlaão e Josafate*.

As novelas de cavalaria mostravam heróis idealizados, cunhados de acordo com o ideal cristão apregoado pela Igreja: guerreiros invencíveis, mas castos, que também incorporavam algumas das virtudes dos trovadores medievais. Nesse caso, as virtudes também eram enaltecidas pelo poder religioso, como dedicação, submissão e obediência.

O primeiro romance de cavalaria original da Península Ibérica, no entanto, desvirtuava um pouco o herói ideal e se chamava *Amadis de Gaula*. Nele, o jovem Amadis apaixona-se e se casa com a mocinha da trama, a doce Oriana, que, também transgressora, concede ao noivo favores sexuais antes do casamento. Amadis ama Oriana de maneira persistente e até obsessiva. Tem como objetivo claro conseguir avanços de natureza amorosa, o que efetivamente consegue. Esse amor terreno e real mostra, de certa maneira, tanto a particularidade do imaginário da Península Ibérica quanto o espírito do tempo, de transição para uma nova maneira de pensar, indicando a proximidade do final da Idade Média.

A datação de *Amadis de Gaula*, bem como sua autoria e língua em que primeiro foi escrito, são problemas aos quais centenas de estudiosos se dedicam. O texto circulou em manuscritos em português e castelhano desde o final do século XIII, recebeu uma versão do português Vasco de Lobeira por volta de 1370 e teve seu texto estabelecido e impresso, em castelhano, por Garcí Rodríguez de Montalvo em 1508. Foi, portanto, reescrito, remodelado, adaptado, censurado, modificado e aumentado por dois séculos, ficando a versão estabelecida por Garcí Rodríguez de Montalvo como ponto de partida para a maior parte dos estudos. O próprio casamento de Amadis e Oriana pode ter sido uma dessas "emendas" com o objetivo de conferir respeitabilidade ao casal de amantes. No entanto, tendo sido escrito numa ou noutra língua e recebido tantas modificações, *Amadis de Gaula* é indiscutivelmente uma das obras mais marcantes da cultura medieval ibérica.

Vamos pedir a ajuda de uma estudiosa, a professora Graça Videira Lopes, que fez em anos recentes uma tradução para o português de parte de *Amadis de Gaula* a partir da versão castelhana de Garcí Rodríguez de Montalvo[42]. Na tradução da professora, vemos como Amadis, aos doze anos de idade, conhece a bela Oriana e dela se enamora. Na narrativa, Amadis é apelidado de "Donzel do Mar" – por ser filho ilegítimo e ter sido, como Moisés, lançado às águas:

> *Servia ele ante a Rainha, e tanto dela como de todas as donas e donzelas era muito amado; mas desde que ali foi Oriana, a filha do rei Lisuarte, deu-lhe a Rainha o Donzel do Mar para que a servisse, dizendo: – Amiga, este é um donzel que vos servirá. Oriana disse que lhe prazia. E o Donzel ficou com esta palavra no seu coração de tal guisa que depois nunca da memória a afastou, que sem falta, assim como o diz esta história, nos dias da sua vida não se cansou de a servir e a ela outorgou sempre o seu coração, e este amor durou quanto eles duraram, que assim como ele a amava, assim ela o amava a ele, em tal guisa que nem uma hora deixaram de se amar*[43].

Não é lindo? Antes de irmos adiante, que tal darmos uma olhadinha no modo como Amadis – seguindo de perto o imaginário em torno do amor cortês – perturba Oriana falando sobre o padecimento de amor que toma conta dele?

> *Senhora, peço-vos que vos condoais daquela morte dolorosa que cada dia por vós padeço; que da outra, verdadeira, se ela me viesse, acharia nela grande descanso e consolação. Senhora, se este meu triste coração não fosse amparado daquele grande desejo que tem de servir-vos – que contra as muitas e amargas lágrimas que dele saem resiste sua grande força – já em elas seria de todo desfeito*

---

42. O original pode ser baixado do site da Biblioteca Nacional de Portugal, a partir da ficha técnica disponível no endereço eletrônico http://purl.pt/369/1/ficha-obra-amadis-de-gaula.html. Acesso em: 03 jan. 2012.

43. A professora Graça Videira Lopes disponibilizou na internet os capítulos de Amadis de Gaula já traduzidos por ela. Pode-se baixá-los diretamente do site http://www.scribd.com/doc/33201509/AMADIS-DE-GAULA-Graca-Videira-Lopes. Acesso em: 03 jan. 2012.

e consumido. Não porque deixe de conhecer serem já os seus mortais desejos em boa parte satisfeitos, pois que vos recordais deles; mas, como para a grandeza da sua necessidade se requer maior mercê da que lhe dais, para ser sustido e amparado, se essa não vier prestes, muito em breve será chegado a seu cruel fim [44].

44. Disponível em: http://www.escritartes.com/forum/index.php?topic=29147.0;wap2. Acesso em: 15 ago. 2011.

Construindo a embarcação, fixando a história...

É tempo de deixarmos Amadis e Oriana e seguirmos viagem, não pelo espaço, desta vez, mas pelo tempo, enquanto se planejam e se tentam construir naus com as árvores dos pinhais plantados por ordem de D. Dinis. Algumas décadas depois das primeiras versões manuscritas do *Amadis de Gaula* e do reinado de D. Dinis, Portugal sofre grandes transformações em sua estrutura social. Uma separação firme entre Portugal e Espanha, com um acirramento das rivalidades entre portugueses e espanhóis, coincide com a queda da antiga aristocracia e com a ascensão de D. João I em 1385. D. João era filho bastardo e, pelas armas, numa revolução com forte presença popular, chega a rei. O estatuto da nobreza não é mais absoluto, e a burguesia formada por comerciantes ganha maior força, abrindo caminho para novas conquistas que, não podendo ser realizadas em território europeu, serão dirigidas para além-mar. A grande figura que simboliza o início deste período não é um poeta, e sim um escrivão e notário, Fernão Lopes, que ficaria para a história como o primeiro grande cronista português.

Fernão Lopes deve ter nascido entre 1380 e 1387 e pode ter, em criança, presenciado o cerco de Lisboa por Castela (1383) e sentido na pele a época que vividamente retrataria muito mais tarde em sua obra-prima, a *Crónica de D. João I*. Podemos ler, no português do período, um fragmento da obra:

> *Grande licença deu a afeiçom a muitos que teverom cárrego d'ordenar estorias, moormente dos senhores em cuja mercee e terra viviam e u forom nados seus antigos avoos, seendo-lhe muito favorávees no recontamento de seus feitos; e tal favoreza como esta nace de mundanal*

afeiçom, a qual nom é salvo conformidade dalgũa cousa ao entendimento do homem. Assi que a terra em que os homeés per longo costume e tempo forom criados geera ũa tal eonformidade antre o seu entendimento e ela que, avendo de julgar algũa sua cousa, assim em louvor como per contrairo, nunca per eles é dereitamente recontada; porque, louvando-a, dizem sempre mais daquelo que é; e, se doutro modo, nom escrevem suas perdas tam minguadamente como acontecerom [45].

Ou voltar a ler, em português modernizado, para comprovarmos a transparência da linguagem utilizada por Lopes:

Grande licença deu a afeição que tiveram carrego de ordenar estórias, mormente dos senhores em cuja mercê e terra viviam, e onde foram nados seus antigos avós, sendo-lhes muito favoráveis no recontamento de seus feitos. E tal favoreza como esta nasce de mundanal afeição, a qual não é salvo conformidade de alguma cousa ao entendimento do homem. Assim que a terra em que os homens, por longo costume e tempo, foram criados gera uma tal conformidade entre o seu entendimento e ela, que, havendo de julgar alguma sua coisa, assim em louvor como por contrário, nunca por eles é direitamente recontada, porque, louvando-a, dizem sempre mais de aquilo que é e, se de outro modo, não escrevem suas perdas tão minguadamente como aconteceram.

De família provavelmente humilde, sabemos pelas citações que semeiam suas crônicas que Fernão Lopes leu Aristóteles, Cícero e Santo Agostinho. Foi contratado em

45. LOPES, Fernão. *Crónica de D. João I*, Primeira Parte, Prólogo. Projecto Vercial da Universidade do Minho. Disponível em: http://alfarrabio.di.uminho.pt/vercial/lopeshtm#joao. Acesso em: 22 abr. 2011.

1418, durante o reinado de D. João I, por seu filho D. Duarte, para a função de Guarda-mor da Torre do Tombo – instituição criada em 1378 para guardar os documentos de Portugal. Em 1433, D. Duarte torna-se rei e, pouco depois, em 1434, encarrega Fernão Lopes de também pôr em crônicas a vida dos reis portugueses, de Afonso Henriques até seu pai, D. João I.

Fernão Lopes começou seu trabalho voltando-se para o passado, que pesquisou e reviu a partir de documentos. Partiu, principalmente, dos dados sobre os reis portugueses e Portugal em si contidos na *Crônica Geral de Espanha*, de 1344, organizada em Leão e Castela no reinado de Alfonso X, o Sábio. Agiu como pesquisador incansável, investigando o passado para construir um discurso a seu respeito, e nesse aspecto foi, além de pioneiro, muito eficiente. Fernão Lopes foi fundador de uma nova maneira de abordar os fatos históricos e seus protagonistas. Introduziu a pesquisa, a investigação de fontes documentais, que realizou de maneira profunda. Como guardador da Torre do Tombo, tinha acesso a toda a documentação oficial do reino ali preservada, e soube usar bem as informações de que dispunha. Ainda foi além, pesquisando em todas as fontes escritas que podia: cartórios de igrejas, lápides de sepultura, onde comparava datas e dados.

A obra construída por Fernão Lopes apresenta uma visão de conjunto pouco comum à época e ao cargo. Lembremos que foi encarregado de escrever a história dos reis portugueses. Porém, ele enxergou a sociedade como um todo e falou sobre seus vários aspectos (administrativo, econômico, comercial) e seus vários estratos sociais – dando relevo, pela primeira vez, ao povo, que considerou como agente de transformações históricas.

Uma parte da obra de Fernão Lopes se perdeu, mas dentre aquela que nos chegou, temos a que é considerada sua obra maior, a *Crónica de D. João I*, que abrange boa parte de seu reinado, indo até o ano de 1411 (ele foi rei até 1433). Ao escrever a crônica do "seu rei" – por quem afinal fora empregado –, Fernão Lopes não o transforma num herói imbatível e sem falhas, mas sim num nobre com características humanas, personagem entre outros tantos que participaram da luta travada pela conquista do trono. Nessa luta, verdadeira revolução, o rei é retratado, por vezes, como homem indeciso, sujeito a armadilhas do destino ou a fraquezas pessoais, como perder o controle da espada, que escorrega de sua mão exatamente quando está para matar seu principal inimigo, o espanhol conde de Andeiro.

No Prólogo, à primeira parte, o autor expõe sua concepção de história, que não deveria ser nem mais nem menos do que a "verdade". Essa afirmação se torna complexa quando colocada ao lado dos demais argumentos desenvolvidos pelo cronista. Num primeiro momento, ele fala sobre a necessidade de afastar-se da "afeição", que seria a marca de outros cronistas, enquanto em seu trabalho figuraria a "verdade sem outra mistura", apontando, a seguir, para a referida limpidez factual derivada do trabalho de sua observação de fontes escritas e, em última instância, na falta delas, na escolha da melhor versão disponível ou para aquela indicada pelo bom senso.

Há também nesse Prólogo uma brevíssima alusão à dependência social em que geralmente se encontra o cronista – empregado pelo rei ou pela corte –, situação que se reflete no texto. Fernão Lopes se declara livre de ambas as condições: nem tem a "afeição" a perturbar sua escrita, nem considera que o fato de estar empregado pelo rei e a ele ser subordinado impeça sua autonomia. Alega que realizou o trabalho baseado em elementos inacessíveis às flutuações dos sentimentos: documentos escritos e sua confrontação. Em que pese sua grande, extraordinária capacidade de não apenas alinhar fatos – como fizeram seus predecessores –, mas também de conseguir armar narrativamente um quadro em que entram contexto e arte narrativa, fica claro, aos olhos do leitor contemporâneo, o quanto da chamada "afeição" entra na prosa de Fernão Lopes. Na própria escolha dos heróis e da importância maior ou menor dada a cada episódio, está presente a "afeição" do cronista, o que, no entanto, não invalida seu trabalho extraordinário. Lopes havia começado a se preocupar com algo em que os próprios historiadores só iriam começar a pensar quando o século XIX estivesse já muito avançado: que a imparcialidade na escrita da história é muito relativa, para não dizer que é tarefa impossível de ser alcançada...

Na *Crónica de D. João I*, é notável a capacidade de Lopes de mesclar a atenção conferida a grupos (populações civis, povo, grupos militares) àquela conferida a indivíduos, como o próprio rei D. João I. É inevitável o favoritismo concedido a Portugal – embora ele realize descrições admiráveis e admirativas do exército castelhano.

Porém, mais do que isso, ao leitor contemporâneo, a "afeição" se mostra na construção do texto, pelo constante exercício do sentido crítico, da sensatez, do humor, da consciência social. Ideias e sentimentos próprios do cronista determinam escolhas textuais.

No capítulo 65 descreve-se como Lisboa estava preparada para sua defesa quando é colocada em cerco por Castela. Após a descrição das portas que possibilitavam fechar a parte murada da cidade e das medidas de segurança tomadas,

Fernão Lopes escreve como se estivesse se afastando da cidade, focalizando a margem do rio Tejo, e ali se detendo como que olhando para a cidade de longe. Para figurar o quanto os habitantes sentiam-se seguros, o cronista evoca um quadro rural, com moças despreocupadas que, indo ou voltando do trabalho no campo, cantam versos rimados:

> *Esta é Lisboa prezada,*
> *mirá-la e leixá-la.*
> *Se quiserdes carneiro,*
> *qual deram ao Andeiro.*
> *Se quiserdes cabrito*
> *qual deram ao Bispo.*

O conjunto de versos onde se faz menção a personagens da sociedade (clero e nobreza) enaltece Lisboa como cidade valorosa que parece despertar o orgulho das jovens. Logo no capítulo seguinte, o de número 66, "as gentes" dentro da cidade ficam sabendo da chegada dos castelhanos e põem-se todas a rezar. Os habitantes da cidade perdem coletivamente o sono, e Fernão Lopes descreve o alvoroço das falas exaltadas, rezas e lágrimas de medo e consternação.

O resultado do cerco é a fome, e, ao tratar da fome que se abate sobre Lisboa, o cronista nos traz a imagem terrível das mães que põem seus "rapazes de três ou quatro anos" a pedir esmolas e a receber, se tanto, um pedaço de pão do tamanho de uma noz. Ao lado do quadro comovente, lembra-se de nos dizer o preço que atingiram os alimentos: sabemos então o preço de uma dúzia de ovos, o da farinha e o do pão e sabemos ainda que houve momentos em que não era possível encontrar nada para comprar, ao preço que fosse.

A luta culmina na conquista do trono por D. João I em 1385, o que representou a troca da dinastia de reis – ele era filho bastardo, irmão do rei legítimo que morrera dois anos antes e cuja sucessão ameaçava a soberania portuguesa, uma vez que a rainha era amante do conde de Andeiro, e sua filha legítima, com direito ao trono, era casada com o rei de Castela. Nesse momento, o prosseguimento da linhagem real significava para Portugal, portanto, a aceitação do domínio de um soberano espanhol, o que provocou forte reação popular. Nuno Álvares Pereira, um membro da nobreza, juntara-se no Alentejo aos camponeses para a expulsão de soldados da cavalaria espanhola que invadiam e tomavam o território português; considerado um gênio militar, ele lutou pela causa de D. João I e foi elevado imediatamente a herói nacional. Venceu numerosas batalhas, sendo a mais célebre a de Aljubarrota, considerada triunfo militar recoberto de misticismo, uma vez que D. João I fizera uma promessa à Virgem Maria, a quem pedira intercessão para a vitória dos portugueses – considerada como impossível devido ao grande número e forte armamento dos cavaleiros espanhóis.

Nos escritos de Fernão Lopes, Nuno Álvares Pereira talvez seja a personagem que mais se aproxime do herói idealizado, embora o autor o coloque como representante de uma nobreza defensora do povo, na reafirmação de uma atitude sua de escrita em que sempre relativiza a atuação individual de suas personagens, preferindo colocá-las como participantes dos acontecimentos que são retratados como resultado de um complexo de fatores sociais e econômicos. Fernão Lopes traça ainda um perfil psicológico de suas personagens, as quais dota de uma humanidade e traz para perto do leitor e do momento presente[46]. Fernão Lopes se diferencia, assim, dos

46. Fernão Lopes utiliza procedimentos literários inovadores e surpreendentes: ao narrar o cerco da cidade de Lisboa durante a tomada de poder por D. João I, ele dá voz à cidade, que, transformada em personagem, fala diretamente ao leitor, apresentando-se como "mãe e ama destes feitos".

cronistas medievais, que elegiam heróis individuais, de quem partia a ação, vistos como únicos responsáveis por conquistas grandiosas. Ao contrário, combina feitos individuais com realizações coletivas, conseguindo um quadro em que o leitor, como espectador, assiste a grandes movimentações humanas, e ouve, em destaque, vozes, gritos, diálogos e pensamentos. A alternância entre visões do todo e adesão à perspectiva de determinadas personagens – que protagonizam alguns dos principais feitos da história – confere às narrativas de Fernão Lopes o poder de, pela primeira vez na Península Ibérica, visualizar a história como obra coletiva.

O período inaugurado em Portugal a partir da revolução que conduziu D. João I ao trono e que é marcada na historiografia e literatura pela atuação de Fernão Lopes se denominou posteriormente de Humanismo e, como no caso do Trovadorismo, teve manifestações diferentes em cada parte do território europeu[47]. Como características que podem ser detectadas em toda a Europa do período está o fortalecimento do nacionalismo e dos estados nacionais. Os feudos e a lógica feudal dissolvem-se num novo contexto dominado pelo comércio e pelo crescimento dos conglomerados urbanos, e marcado pelo sentimento de pertença nacional. O crescimento das cidades muda os papéis sociais desempenhados até então e temos um período de luta por direitos políticos e liberdades civis. O campo também assiste às mudanças da ordem anteriormente estabelecida e insurreições camponesas ocorrem em diversos territórios. Como ordem de pensamento, o teocentrismo, que já tinha sido abalado pelas ideias individualistas veiculadas pelos trovadores, vai sendo substituído pelo antropocentrismo; o Humanismo é a época da convivência desses dois modos de pensar, e suas contradições poderão

---

47. O termo "Humanismo", cunhado no século XIX, tem um significado diverso nos estudos de história da arte e da filosofia. O currículo dos humanistas chamava-se *Studia humanitatis*, estudos que compreendiam a *grammatica*, a *rhetorica*, a *poetica*, a *historia* e a *philosophia moralis*, e surgiram na Itália no final do século XIV. Assim, Humanismo e Renascimento para a história da arte e da filosofia convivem em um mesmo período histórico, diferentemente do que ocorre na história da literatura no contexto ibérico, em que Humanismo e Renascimento são momentos sucessivos.

ser plenamente compreendidas quando chegarmos à obra de Gil Vicente. O homem passará a se considerar dono de seu destino e desejará conhecer e dominar a natureza e desbravar o ainda desconhecido, num movimento que alcançará seu auge quase um século depois, no Renascimento.

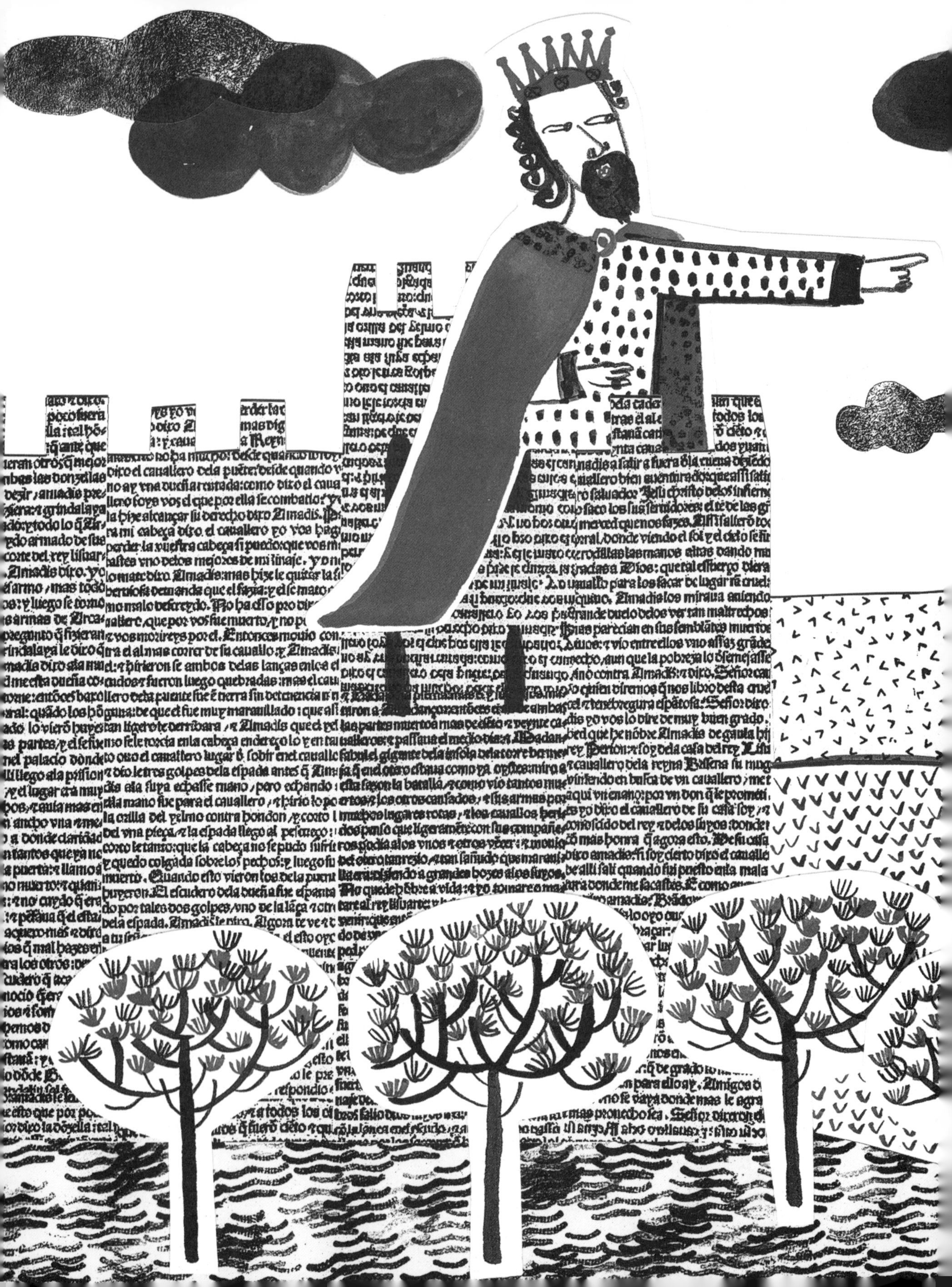

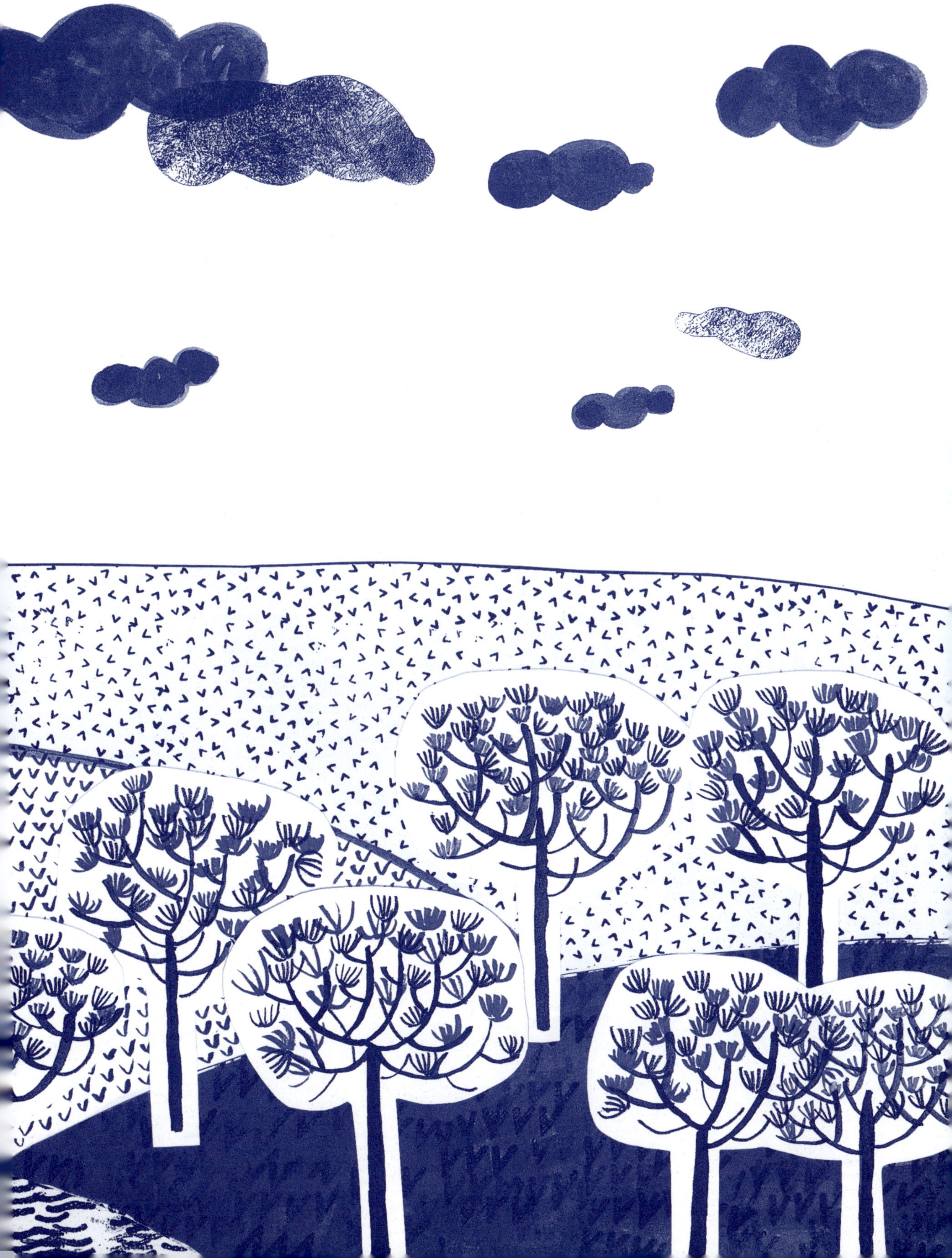

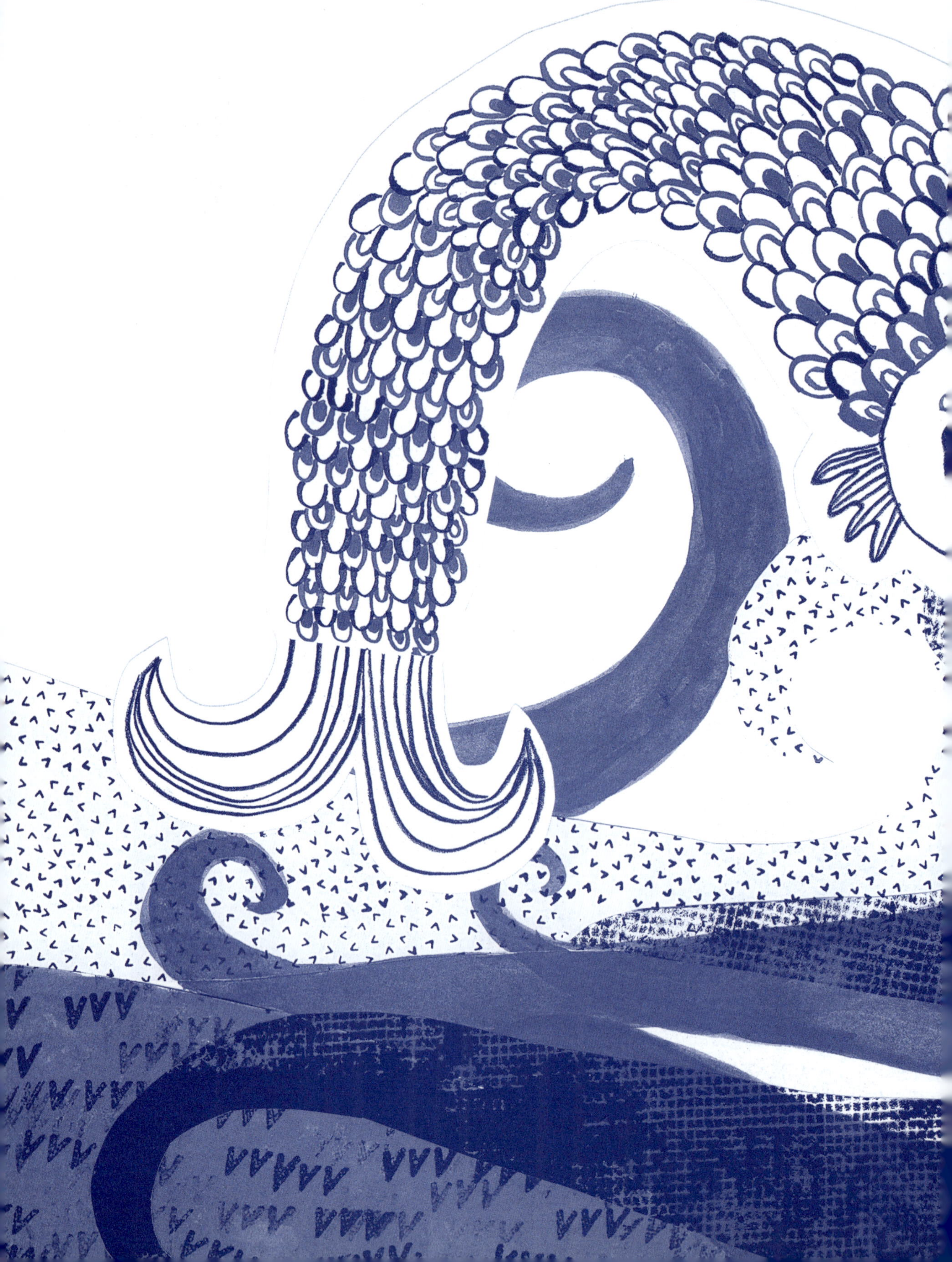

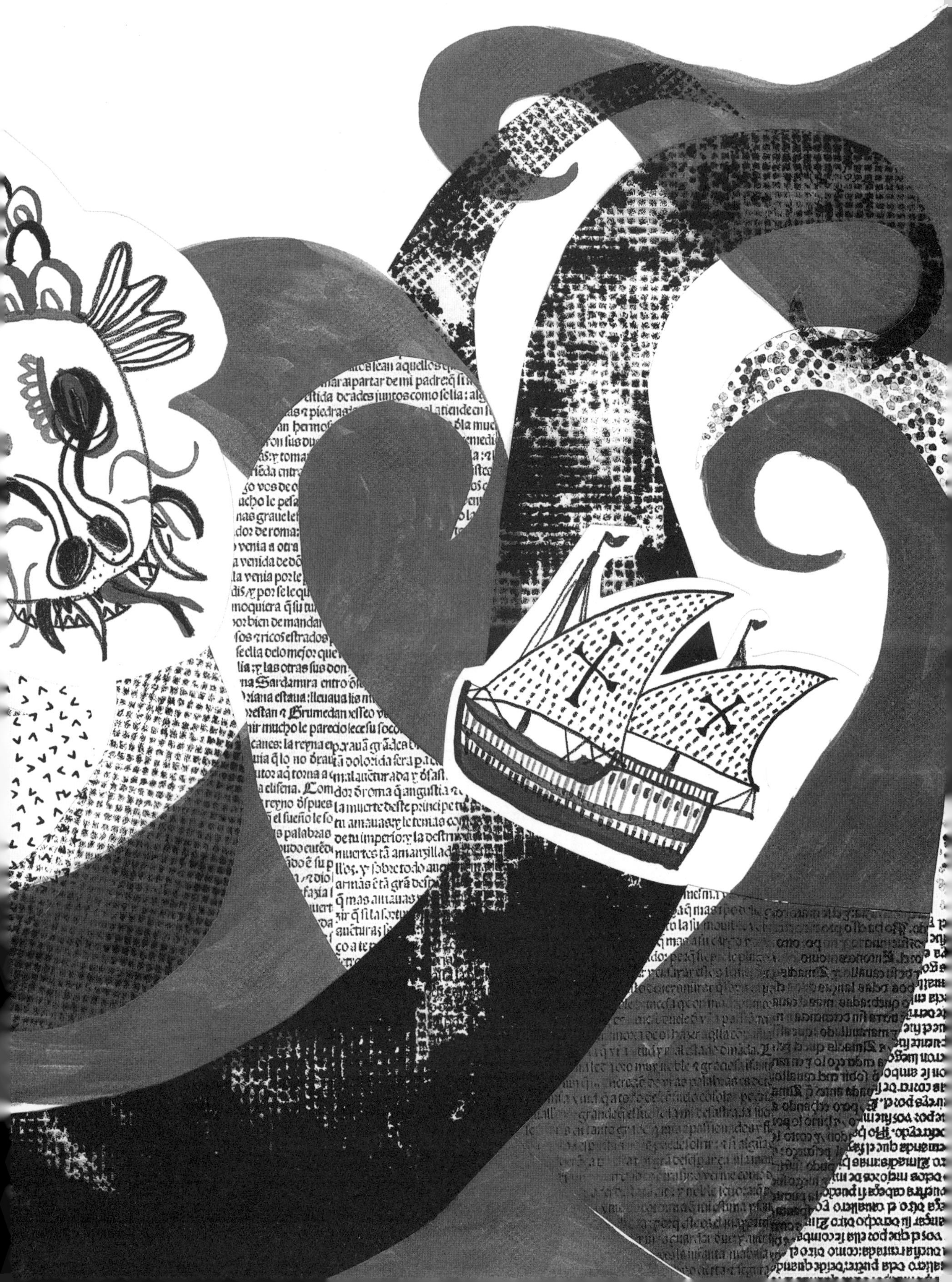

Enfim, navegando, porque é preciso

A partir da Península Ibérica começará a expansão ultramarina, inaugurada com a conquista de Ceuta pelos portugueses em 1415. Algumas décadas depois, a produção de livros e circulação da escrita serão definitivamente alteradas pela invenção da imprensa por Gutenberg, na Alemanha de 1440.

No contexto europeu, em termos filosóficos e literários, a mudança de foco para o antropocentrismo fará com que os estudiosos redescubram a cultura clássica – Grécia, Roma, seus deuses, mitologia e produção artística serão estudados. Em Portugal, o período de pouco mais de cem anos que vai do início da expansão marítima ao desaparecimento de D. Sebastião na Batalha de Alcácer-Quibir, em 1578, foi chamado o Século de Ouro Português. Os acontecimentos do período definem a posição de Portugal na história mundial e moldam o imaginário português de modo marcante e indelével. Os acontecimentos desse período e sua interpretação pela sociedade portuguesa serão determinantes para toda a história de Portugal até a contemporaneidade.

Com a expansão ultramarina, que tem início no século XV, começa o estabelecimento do Império Português, que durará séculos e será completamente desintegrado somente em 1975, com a independência das colônias africanas após mais de uma década de uma guerra sangrenta. Um dos marcos dessa era, sob muitos aspectos, extraordinária, foi a passagem do cabo Bojador em 1434. A partir dessa conquista, que derruba a lenda do mar tenebroso – que falava da impossibilidade de vida além do Bojador, limite para a navegação a partir da qual só haveria ondas gigantescas e águas misteriosas e ferventes –, vários outros desafios são sucessivamente vencidos: a transposição do cabo das Tormentas em 1488, a chegada à

Índia em 1498 e o descobrimento do Brasil em 1500.

As conquistas marítimas portuguesas e espanholas causaram assombro a toda a Europa do período. No entanto, entre os dois países havia lutas e disputas por terra e poder, que perdurariam ainda por muito tempo. Fernão Lopes, já na sua atribuição de historiador, descreve assim a atuação de um herói português de uma batalha contra os "castelhanos" acontecida em finais do século XIV:

> *E louvava-os com bom ânimo e alegre semblante animava-os a que não temessem a multidão dos inimigos, nem as ameaças que exteriorizavam com seus apupos e alaridos, porque era tudo um pouco de vento que daí a breve espaço havia de cessar. E que fossem fortes e animosos, tendo grande confiança em Deus, por cujo serviço ali tinham vindo, defendendo justa causa por seu reino e pela Santa Igreja. E que a Mãe de Deus, cuja véspera era então, seria sua advogada, e o precioso mártir São Jorge seu capitão e ajudador. E dizia que aquele era o bom dia que todos desejavam para alcançar muita honra, em que seus grandes trabalhos haviam de cessar pela vitória*[48].

Fernão Lopes trabalha durante longo período para o reino – pelo menos 36 anos, de 1418 até 1454, ano em que é aposentado. Começa a trabalhar para D. João I, continua sob o reinado de seu filho, D. Duarte, e está no auge de sua produtividade quando sobe ao trono Afonso V, em 1438. Fernão Lopes é sucedido por Gomes Eanes de Zurara, que tenta continuar sua linha de investigação e produção de textos; no entanto, perde a visão de conjunto de Lopes e passa a enfocar as atuações individuais dos soberanos, a quem são creditadas

[48]. Versão em português moderno de SARAIVA, António José. *As crónicas de Fernão Lopes*. Selecionadas e transpostas em português moderno. Lisboa: Gradiva, 1993, 3ª edição, p. 333 e 334.

as evoluções históricas. A partir dele, uma série de cronistas assumirá sucessivamente o cargo de historiador oficial da monarquia, sem que nunca se volte a ter o brilho literário e a perspicácia de visão histórica de Fernão Lopes.

A poesia também se modifica muito nesse período: dissocia-se completamente da música e passa a ser elaborada para ser declamada nos salões da corte. Os temas se diversificam para além da questão: os motivos religiosos ganham terreno, bem como a poesia de cunho épico, e a sátira é intensificada – muitas vezes focalizando a expansão marítima, vista por alguns poetas como um empreendimento desastroso.

Na barca...

No entanto, a grande voz do período que sucede em inventividade a Fernão Lopes é a de Gil Vicente[49], que inaugura outro gênero em Portugal, o teatro, tendo ele sido o maior dramaturgo do Ocidente em seu tempo. Com ele, subiremos a um tipo diferente de embarcação: uma, ou melhor, várias barcas. Mas antes de embarcarmos, vamos conhecer melhor mestre Gil.

Gil Vicente nasceu por volta de 1465, no norte de Portugal (talvez em Guimarães), sob o reinado de Afonso V, e tem cerca de dezesseis anos quando sobe ao trono D. João II. Já adulto, tem por volta de trinta anos quando reina D. Manuel I, e deve ter assistido à partida e ao regresso das frotas de Vasco da Gama e Cabral. Ao que parece, Gil Vicente foi ourives e detinha um cargo público, exercendo essa profissão em 1509. Há um documento, datado de 1513, que nomeia um Gil Vicente como mestre da balança da Casa da Moeda de Lisboa. No documento, esse Gil Vicente é qualificado como "trovador e mestre de balança". Ao que tudo indica, esse pode ser o dramaturgo, embora alguns estudiosos atentem para o fato de que o autor poderia ter homônimos, porque Gil Vicente não era na época um nome incomum. Essa imprecisão quanto aos dados de vários dos escritores e artistas portugueses nascidos e atuantes até o final do século XVII mostra o quanto os registros civis eram imprecisos e como a importância documental tinha ênfase para a fixação da vida de nobres, de reinos e de organizações como ordens religiosas.

Quanto a Gil Vicente, seguimos sua biografia pelo registro da apresentação de suas obras para a família real portuguesa, que o empregava. O primeiro registro de uma peça vicentina apresentada à corte portuguesa é de 1502, quando, em comemoração ao nascimento do príncipe, mestre Gil

49. 1465?-1537?

apresenta, na câmara da rainha D. Maria, o *Auto da visitação* ou *Monólogo do Vaqueiro*. Estavam presentes o rei, D. Manuel I – marido de D. Maria e pai do futuro rei D. João III –, a viúva do rei D. João II, D. Leonor, a mãe do rei, D. Beatriz, e alguns outros membros da nobreza.

D. Leonor tem papel importante no desenvolvimento da carreira de Gil Vicente, já que o tomou sob sua proteção. A peça teatral inaugural de Gil Vicente retrata a sua primeira influência: as representações pastoris do espanhol Juan del Encina. Outra fonte de inspiração que vem a Gil desde a Espanha são as comédias de Torres Naharro. A corte portuguesa no período era bilíngue[50], e os autos vicentinos foram escritos tanto em português quanto em castelhano, por vezes mesclando duas línguas num mesmo auto. Dessa forma, Gil Vicente será o primeiro grande homem de teatro da Península Ibérica, integrando logo à influência dos pastoris e às comédias dos castelhanos outros elementos populares advindos da Idade Média, elementos esses inovadores, frutos de seu próprio engenho.

Seu talento e originalidade foram imediatamente reconhecidos, e suas representações teatrais consideradas por Garcia de Resende uma das maravilhas do mundo, no momento em que realizou o inventário dos acontecimentos notáveis dos séculos XV e XVI. Lembremos que os séculos XV e XVI foram os das grandes navegações – feitos humanos absolutamente grandiosos (vistos hoje, no entanto, com o devido distanciamento crítico, que leva em conta os males causados às partes envolvidas). Assim sendo, pode-se ter ideia da repercussão da obra de Gil Vicente na sociedade portuguesa, a ponto de ser igualada à maior aventura da era moderna.

Entre 1502 e 1536, Gil Vicente escreveu cerca de cinquenta peças, entre obras de devoção, normalmente desig-

50. Mesmo com a imobilidade característica do sistema feudal, a circulação cultural resultante da mobilidade dos nobres (por casamento) da corte portuguesa foi notável. Muitos casamentos com princesas de reinos do que hoje constitui a Espanha tornaram a corte portuguesa da época de Gil Vicente uma corte bilíngue.

nadas autos – que têm assunto religioso; farsas – em que predomina o elemento cômico; comédias e tragicomédias – que mesclam em si vários gêneros, do romance de cavalaria às alegorias. "Auto" é uma designação geral, ligada ao tipo de representação – originalmente peças em um só ato, sem troca de cenários – em que se sucediam em cena várias situações (pensemos na necessidade de adaptar a apresentação às condições da corte – por vezes em um quarto do palácio onde estava uma parturiente ou um doente da realeza portuguesa). As "farsas" parecem ter sido pensadas para falar sobre a camada popular dos portugueses da época e se constituem por *flashes* da vida privada de algum tipo social dos criados por Gil Vicente, em situações que envolvem comicidade e insinuações de caráter sexual. É o caso das bem conhecidas e representadas *Auto da Índia* (que é "farsa", embora carregue a denominação de "auto"), *Farsa de Inês Pereira* e também de *Quem tem farelos?*

O enorme sucesso que tiveram e continuam a ter as obras de Gil Vicente pode ser creditado à sua incrível capacidade de observação e imitação dos tipos humanos, que constrói com perfeição a partir de elementos por vezes mínimos: com uma "fala" apenas é capaz de construir uma personagem-tipo, como a da alcoviteira ou a do marido traído. Pela primeira vez na história, o texto literário ganha relevância sobre os demais elementos da representação, como a cenografia e a música.

Gil Vicente foi um homem do seu tempo, que é o da transição não apenas entre dois séculos, mas entre duas maneiras de pensar o mundo. Assim sendo, sua obra reflete características medievais e também renascentistas. Os gêneros e metros medievais são mantidos, bem como o emprego de alegorias e símbolos e a temática religiosa. O grupo de personagens também se mantém em moldes medievais: os representantes do povo, com suas vestimentas, hábitos e linguagem próprios, além da presença de personagens sobrenaturais e figuras alegóricas (como os anjos e, especialmente, os diabos). No entanto, características renascentistas se fazem presentes, como o emprego de personagens oriundos da mitologia greco-romana, a crítica diante das injustiças sociais e da degradação do clero e – elemento especialmente particular do contexto ibérico – a condenação à perseguição religiosa de cristãos-novos e judeus.

Gil Vicente centra suas preocupações no ser humano de seu tempo, pertencente a todas as classes sociais. Uma grande parcela da obra vicentina ataca os vícios das classes dominantes: clero e nobreza, e das instituições a que pertencem ou que são regidas por eles. Os nobres aparecem, por vezes, como tiranos orgulhosos, que desprezam os humildes, inconscientes dos valores humanos que, por sua boa formação, deveriam prezar. Os representantes do clero são talvez os mais atacados: suas peças estão plenas de padres e frades beberrões, mulherengos, abusadores e mesquinhos. A Justiça é outra instituição atacada, normalmente pela falta de honradez de seus representantes: juízes, meirinhos (oficiais de justiça) e procuradores aparecem como exploradores e usurpadores do povo. Gil Vicente expressa uma cultura religiosa, reiterando valores teocêntricos. Em suas peças, Deus, Sagrada Família, profetas, anjos e santos merecem devoção, respeito e amor. Foi homem de fé, católico ortodoxo, que professava a crença em Deus e a obediência à Igreja, características que, no entanto, jamais o impediram de ver os erros cometidos pelos homens que dirigiam essa instituição e de emitir, em sua obra, julgamentos de valor a esse respeito.

Acreditava na função moralizadora do teatro, e sua preocupação parece ter sido a de desnudar as misérias de seus contemporâneos ao mesmo tempo em que apontava o caminho para a redenção. Sua crítica, então, tinha como finalidade a moralização dos costumes e a reaproximação dos pecadores a Deus. Sua crítica se estende ainda a todos os desonestos, independentemente da classe social a que pertencem: assim, o simples Sapateiro, pela desonestidade, é criticado no *Auto da barca do Inferno*, bem como o velho usurário, o Onzeneiro, provavelmente um pequeno comerciante que experimentara alguma ascensão econômica, passando a explorar os mais necessitados[51]. A estes humildes, especialmente pastores e lavradores, Gil Vicente concede toda sua simpatia. Em muitas peças sacras, o autor os aproxima da Sagrada Família, que, como eles, foi pobre e desprotegida. A eles está reservado o Paraíso, ou, em caso de dúvida, o Purgatório. Pelo muito que sofrem no mundo, seus pecados são abrandados e seus méritos exaltados.

Olhando para a totalidade da obra de Gil Vicente, vemos que o autor, imbuído da ideia de falar com e sobre a humanidade de seu tempo, aderindo à concepção católica, trabalha alegoricamente com as esferas divina e diabólica. Acessoriamente, faz uso do fantástico e do sobrenatural, criando personagens adeptos da feitiçaria, ou fabulosos, como as fadas e os deuses greco-latinos.

As figurações do diabo em Gil Vicente são fascinantes, sendo elas as melhores personagens de sua obra. Encarnando o mal, conhecem a fundo as artes da persuasão, são divertidas, ágeis na argumentação e impiedosas ao tratar com as "almas" que pretendem ganhar, tanto para consegui-las quanto para zombar delas uma vez logrado seu intento. Conhecedor dos

---

51. Gil Vicente criou um teatro de "tipos humanos", representantes dos diversos estratos sociais do Portugal de sua época. António José Saraiva (*Iniciação à literatura portuguesa*. São Paulo: Companhia das Letras, 1999, p. 40 e 41) chama a atenção para dois pontos: as personagens vicentinas não discursam sobre temas, como, por exemplo, o farão depois as de Calderón de la Barca, e sim por falas sintéticas que de pronto as caracterizam; não se encontra em Gil Vicente o conflito íntimo que seria posteriormente o centro do teatro moderno clássico, em que a personagem fica dividida entre duas forças que internamente a conduzem para lados opostos (como se verá nas obras de Shakespeare, Racine e Garrett). Para que se tenha boa ideia da distância que separa Gil Vicente de Shakespeare, veja-se que, enquanto o dramaturgo português morre por volta de 1537, o nascimento do poeta inglês dar-se-á quase trinta anos depois, em 1564.

vícios humanos, Gil Vicente utiliza essas personagens para denunciar toda sorte de desmandos, pecados e injustiças cometidos pelos vários poderosos. Vejamos um pequeno excerto do *Auto da Lusitânia*, em que duas personagens alegóricas[52] – Todo-o-Mundo e Ninguém – dialogam enquanto são observadas por dois diabos: Berzabu, que ouve a conversa e manda num seu subordinado, Dinato, que tem a função de escrivão:

> Todo-o-Mundo *Folgo muito d'enganar,*
> *e mentir nasceu comigo*[53].
> Ninguém *Eu sempre verdade digo,*
> *sem nunca me desviar.*
> Berzabu *Ora escreve lá, compadre,*
> *não sejas tu preguiçoso.*
> Dinato *Quê?*
> Berzabu *Que Todo-mundo é mentiroso,*
> *e Ninguém diz a verdade.*

Em *Auto da barca do Inferno*, o Diabo é o protagonista, uma vez que conduz a ação e interpela as demais personagens, com as quais dialoga. A situação proposta é a de um rio ao qual chegam todos os seres humanos a seguir ao momento da morte. Neste rio encontram-se duas barcas, uma com destino ao Paraíso, a barca da Glória, que tem um Anjo na proa, com a função de arrais[54], e a outra com destino ao Inferno, com um Diabo como arrais, assessorado por um companheiro. Como o próprio nome do auto indica, a ação parte da barca do Inferno, onde o Diabo interpela cada um dos recém-chegados ao cais.

O primeiro a apresentar-se em cena é chamado pelo Diabo de "poderoso Dom Anrique", um Fidalgo que, seguido por um empregado que lhe carrega uma cadeira, pergunta

---

52. Alegoria, literalmente: "dizer o outro".
53. No verso original temos a grafia de época "naceu", modernizada pela autora.
54. Arrais – mestre responsável por uma embarcação.

para onde vai a embarcação, da qual imediatamente desconfia. Ao saber que se dirige ao Inferno, rejeita a oferta, crendo ser seu lugar o Paraíso, uma vez que deixou no mundo dos vivos quem rezasse por ele. Vai pedir lugar na barca da Glória e, depois de rejeitado pelo Anjo, volta e, sozinho, sem empregado nem cadeira, sobe à barca do Inferno. Apresenta-se a seguir um usurário, personagem sem nome, identificado por sua "ocupação", a de Onzeneiro[55], com uma grande bolsa à tiracolo, e interpela o Diabo a respeito do destino da barca. O Diabo ao se dirigir pela primeira vez a ele já o chama de "meu parente", indicando a visão do dramaturgo a respeito da categoria a que pertence a personagem. O Onzeneiro também tenta a sorte na barca do Paraíso e é igualmente rejeitado pelo Anjo. Conformado, embarca sem sua bolsa de dinheiro e toma seu lugar ao lado do Fidalgo, que imediatamente o reconhece. A seguir, chega ao cais Joane, denominado pela indicação de entrada de cena como "o Parvo", homem muito simples, que se autodefine como "tolo"; ele quase embarca no batel infernal. Porém, ao se dar conta do engano, brame um discurso desconexo, cheio de ofensas ao Diabo, e busca a barca do Paraíso. Ao ser interpelado pelo Anjo, diz ser "talvez alguém"[56]. A simplicidade de Joane é reconhecida pelo Anjo, que permite seu embarque imediato, deixando transparecer em sua fala a adesão do dramaturgo aos desvalidos:

> *Tu passarás, se quiseres.*
> *Porque em todos teus fazeres*
> *per malícia não erraste.*
> *Tua simpreza t'abaste*
> *para gozar dos prazeres.*

55. Onzeneiro é um agiota, aquele que empresta dinheiro cobrando juros normalmente extorsivos.
56. No texto original: "Samicas alguém", modernizado pela autora.

O desfile de personagens segue com o aparecimento de um Sapateiro trazendo seu avental carregado de formas de sapatos, e que, segundo o Diabo, no exercício do ofício, aproveitara-se para roubar o povo durante pelo menos trinta anos; de um frade que chega cantando alegremente, trazendo uma moça pela mão e segurando uma espada na outra – caracterização que, por si só, faz adivinhar suas atitudes pouco condizentes com a vida religiosa. Outras personagens surgem dando sequência ao desfile de tipos sociais bastante marcados, como a alcoviteira e os representantes da Justiça aos quais falta honradez. Todos, sem exceção, terminam embarcados na barca do Inferno. Por fim surgem cantando quatro cavaleiros, com suas espadas e escudos, carregando a "Cruz de Cristo", mortos em batalha contra os mouros. Passam pela barca do Inferno sem parar. Interpelados pelo Diabo, espantado pela segurança com que passavam sem sequer perguntar nada, respondem que morreram por Cristo e sabem que quem o faz não vai naquela embarcação. Finalizando o Auto, seguem diretamente para a barca da Glória, onde são recebidos pelo Anjo:

Ó cavaleiros de Deus,
a vós estou esperando,
que morrestes pelejando
por Cristo, Senhor dos céus!
Sois livres de todo mal,
mártires da Madre Igreja,
que quem morre em tal peleja
merece paz eternal.

O professor Benjamin Abdala Júnior analisa a obra vicentina e a criação de personagens em função das coordenadas sociais do tempo, quando, sob o influxo das navegações, Lisboa se torna a corte mais pujante e rica da Europa e o país sofre um processo de desorganização social. A capital incha com população das mais diversas regiões do país, atraída pelo afluxo de riquezas e pelas novas possibilidades trazidas pelo entorno das navegações. Diz o professor:

> Importava-se de tudo. Era mais fácil adquirir bens como ouro e as especiarias provenientes das navegações, ficando o trabalho mais pesado para os escravos capturados na África e na Ásia. Nessa situação, a população rural deixava o campo e corria para Lisboa, os artífices afastavam-se das manufaturas, os fidalgos acotovelavam-se em torno do palácio real. Desorganizava-se assim a produção. Todos, inclusive o clero, procuravam usufruir desse vertiginoso afluxo de riquezas. Nessas condições era difícil viver do próprio trabalho. Procurava-se o lucro fácil na empresa comercial-militar das Índias, um monopólio do rei. Cresceu exageradamente o número de servidores da Corte e os que conseguiam seguir viagem só tinham um objetivo, de acordo com uma das personagens do *Auto da Índia*: pelejar e roubar. [...] Essa população das mais diversas regiões e condições sociais que se amontoava em Lisboa sugeriu a Gil Vicente a criação de uma variedade muito grande de personagens para suas peças teatrais. São os tipos sociais, isto é, personagens, com as qualidades e defeitos de uma profissão, de uma classe social [...] e tipos psicológicos, como o Parvo[57].

57. In: Prefácio a VICENTE, Gil. *Auto da Índia; Auto da barca do inferno; Farsa de Inês Pereira*. São Paulo: SENAC, 2003.

Porém, nem sempre a sátira vicentina foi tão severa como no *Auto da barca do Inferno*, por vezes se apresentando de maneira simplesmente zombeteira (especialmente nas farsas e comédias), mostrando com leveza e humor as fraquezas humanas: como no caso do Velho da Horta, que, apaixonado por uma mocinha, não mede esforços para consegui-la para si, contratando para tal os serviços de uma alcoviteira em *Auto do Velho da Horta*. O velho senhor, enamorado, reflete sobre o amor e seus perigos, lembrando o teor das canções de amor trovadorescas:

> *O maior risco da vida,*
> *e mais perigoso, é amar;*
> *que morrer é acabar*
> *e o amor não tem saída.*
> *E, pois penado,*
> *ainda que seja amado,*
> *vive qualquer amador,*
> *que fará o desamado*
> *e sendo desesperado*
> *de favor?*

Também outra situação complicada é tratada com muito bom humor por mestre Gil em *Comédia do viúvo*, o caso de um homem casado com "mulher brava" e que quer se ver livre da esposa a qualquer custo. Vejamos a fala do marido "desesperado":

> *Yo no la puedo trocar,*
> *yo no la puedo vender,*
> *yo no la puedo amansar,*

yo no la puedo dejar,
yo no la puedo esconder.

Em peças como *Auto da Índia*, e especialmente na *Farsa de Inês Pereira*, nos vemos diante de obras em que o autor avança no sentido de contar uma história longa com poucas personagens, que passam por transformações de acordo com o rumo dos acontecimentos que lhes sucedem[58].

A *Farsa de Inês Pereira* é apresentada pelo autor como uma história que se constrói em torno de um dito popular: "mais quero asno que me leve que cavalo que me derrube". Jovem e solteira, Inês Pereira não gosta das ocupações destinadas às mulheres – como o bordado – e, aborrecida, anseia por viver de maneira mais plena:

Coitada, assi hei d'estar
encerrada nesta casa
como panela sem asa
que sempre está num lugar?
E assi hão de ser logrados
dous dias amargurados,
que eu posso durar viva?

Nessa fala de Inês aparece outro fragmento de dito popular português, que permanece em uso até os dias de hoje e que aponta para a brevidade da vida, ao afirmar que "a vida são dois dias". Inconformada com o destino, Inês Pereira – sozinha em casa com a obrigação de terminar um bordado – brada contra a prisão representada pelo modo de vida que lhe é imposto.

Os ditos populares ou seus fragmentos são utilizados por Gil Vicente tanto para apontar o comportamento ritual

58. Este avanço narrativo aprofunda e focaliza a personagem, que é vista num percurso individual, o que encaminha e prefigura as possibilidades posteriormente exploradas pelo teatro moderno, conforme a observação de António José Saraiva apontada em nota anterior.

ditado pela sociedade como o modo pelo qual Inês Pereira irá vivenciar suas possibilidades de vida. A personagem vê no casamento a ansiada possibilidade de liberdade. No entanto, levada por seus ideais, rejeita um pretendente que considera simplório e sem atrativos e casa-se com um rapaz que preenche seus anseios românticos, por ser belo e tocar viola. A realidade mostra-se em toda a sua dureza para Inês Pereira, maltratada pelo marido, que, enfim, não tem recursos – até mesmo sua viola era emprestada – e deixa-a prisioneira em casa quando parte para a guerra. Novamente só, trancada e obrigada aos trabalhos de agulha que tanto detesta, Inês se lamenta numa cantiga que começa com outro provérbio: "Quem bem tem e mal escolhe, / por mal que lhe venha, não s'anoje". Uma carta do irmão dá à Inês a notícia da morte do marido. Determinada a viver segundo seus desejos, ela se casa com o primeiro pretendente, impondo sua vontade desde o início. A simplicidade do marido não lhe causa mais repulsa, uma vez que está disposta a explorá-lo e traí-lo desde o primeiro momento. Corroborando o dito popular que constitui o argumento da peça, a cena que finaliza a farsa mostra Inês literalmente sentada às costas do marido, que, inconsciente do real motivo da jornada, que aparentemente é de devoção, leva a esposa ao encontro do homem que ela deseja para amante – um antigo conhecido que se tornara Ermitão. A história narrada norteia-se nas várias "verdades" expressas pelos ditados populares, que o dramaturgo explora com humor e vivacidade, valendo-se da sátira mordaz para mostrar o comportamento humano diante das limitações e regras impostas pela sociedade. A peça, escrita em português, apresenta o Ermitão se expressando em espanhol – mais um exemplo da mescla de idiomas presente nas peças vicentinas.

---

59. 1481?-1558.

60. Gil Vicente permanecerá ativo e compondo peças por quase mais uma década, porém sem aderir aos novos modelos italianos. Segundo ressalta Cleonice Berardinelli (VICENTE, Gil. *Antologia do Teatro de Gil Vicente*. Introdução e estudo crítico pela professora Cleonice Berardinelli. Rio de Janeiro: Nova Fronteira/ Brasília: Instituto Nacional do Livro, 1984, 3ª edição, p. 9 e 10): "Não se espere, porém, unidade nos autos vicentinos: por isso ele é considerado um autor de transição entre a Idade Média e o Renascimento, mais voltado para a tradição do que para a modernidade. As unidades – de tempo, lugar e ação – exigidas pelo Classicismo eram por ele desprezadas: anos se passavam entre a primeira e a última cena; os personagens transitavam de um lugar a outro,

A *Farsa de Inês Pereira* foi representada perante a corte de D. João III, em 1523. Poucos anos antes, em 1516, Garcia de Resende reunira a produção poética recente em seu *Cancioneiro Geral*. Nessa obra começam a aparecer novos modelos formais, tributários da ordem clássica que vinha sendo retomada especialmente em algumas regiões italianas. O início do Renascimento em Portugal se aproxima. Costuma-se considerar 1527 como marco inicial do período renascentista português, ano da chegada do poeta Sá de Miranda[59] de volta a Portugal, depois de passar seis anos na Itália, trazendo consigo as notícias sobre o florescimento artístico lá experimentado. Na literatura, o estilo importado da Itália reflete-se na inovação no trato de vários gêneros literários: na poesia, é marcado o uso de decassílabos e a composição na forma de sonetos; no teatro, o uso da prosa e a inspiração na herança clássica[60]; na prosa, a retomada de gêneros greco-latinos – e também das releituras italianas dessas formas clássicas, como a epopeia e a elegia. Sá de Miranda compôs as primeiras éclogas[61], elegias[62] e sonetos[63] da língua portuguesa, sem, no entanto, abandonar a tradição ibérica. Vejamos um de seus sonetos:

> *O sol é grande: caem coa calma as aves,*
> *Do tempo em tal sazão, que sói ser fria.*
> *Esta água que de alto cai acordar-me-ia,*
> *Do sono não, mas de cuidados graves.*
>
> *Ó cousas, todas vãs, todas mudaves,*
> *Qual é tal coração que em vós confia?*
> *Passam os tempos, vai dia trás dia,*
> *Incertos muito mais que ao vento as naves.*

do céu à terra, e a ação abrangia várias ações, em vários planos da realidade ou da alegoria. Nada de compartimentos estanques, nada de gêneros restritos a uma classe social, como na tragédia ou na comédia que os homens de 1500 iam buscar à Grécia ou a Roma, mas a convivência do pobre e do rico, do leigo e do prelado, a coexistência do real e do mitológico, do humano e do divino: velhos, moços e crianças, fidalgos e plebeus, doutores e parvos, judeus, mouros e cristãos, Júpiter, Vênus, Cupido e Cristo, Maria e José, Anjos e Demônios, a própria Igreja, a Vida, enfim, não amputada nem reduzida, mas plena, integral, com sua grandeza e seus ridículos, sua pureza e sua mesquinhez".

61. Écloga – poesia de tema bucólico, desenvolvida por Virgílio no século I antes de Cristo e retomada na Itália do Renascimento por Dante Alighieri.

62. Elegia, do grego *elegeía*, "canto triste", composição poética que trata do luto.

63. Soneto é uma forma poética composta por quatorze versos.

Eu vira já aqui sombras, vira flores,
Vi tantas águas, vi tanta verdura,
As aves todas cantavam de amores.

Tudo é seco e mudo; e, de mistura,
Também mudando-me eu fiz doutras cores.
E tudo o mais renova: isto é sem cura! [64]

Quanto ao teatro, Sá de Miranda escreveu de acordo com os moldes italianos, que se voltavam para a herança latina – no entanto, não alcançou representatividade nesse gênero. Bernardim Ribeiro[65] reparte com Sá de Miranda a glória da introdução da écloga em Portugal, que praticava, no entanto, de maneira muito particular – somando ao espírito italiano a maneira ibérica de entender o amor. Foi o primeiro poeta a trabalhar o conceito e o sentimento de "saudade". Deixou, além da obra poética, uma novela inacabada, *Saudades*, que ficou mais conhecida como *Menina e moça*, em que o tema central é o do domínio e efeitos do amor sobre a alma humana.

Menina e moça me levaram de casa de minha mãe para muito longe. Que causa fosse então daquela minha levada, era ainda pequena, não a soube. Agora não lhe ponho outra, senão que parece que já então havia de ser o que despois foi. Vivi ali tanto tempo quanto foi necessário para não poder viver em outra parte. Muito contente fui em aquela terra, mas, coitada de mim, que em breve espaço se mudou tudo aquilo que em longo tempo se buscou e para longo tempo se buscava. Grande desaventura foi a que me fez ser triste ou, per aventura, a que me fez ser leda. Depois que eu vi tantas cousas

64. MIRANDA, Sá de. "Soneto". Projecto Vercial da Universidade do Minho. Disponível em: http://alfarrabio.di.uminho.pt/vercial/miranda.htm. Acesso em: 22 abr. 2011.
65. Data de nascimento incerta – morto antes de 1536.

trocadas por outras, e o prazer feito mágoa maior, a tanta tristeza cheguei que mais me pesava do bem que tive, que do mal que tinha.

Escolhi para meu contentamento (se em tristezas e cuidados há i algum) vir-me viver a este monte onde o lugar e a míngua da conversação da gente fosse como já pera meu cuidado cumpria, porque grande erro fora, depois de tantos nojos quantos eu com estes meus olhos vi, aventurar-me ainda a esperar do mundo o descanso que ele não deu a ninguém. Estando eu assi só, tão longe de toda a gente e de mim ainda mais longe, donde não vejo senão serras que se não mudam, de um cabo, nunca, e do outro águas do mar que nunca estão que das, onde cuidava eu já que esquecia à desaventura por que ela e depois eu, a todo poder que ambas pudemos, não deixámos em mim nada em que pudesse achar lugar nova mágoa; antes tudo havia muito tempo, como há, que é povoado de tristezas, e com razão. Mas parece que das desaventuras há mudança para outras desaventuras, que do bem não a havia para outro bem. E foi assi que, por caso estranho, fui levada em parte onde me foram diante meus olhos apresentadas em coisas alheias todas as minhas angústias, e o meu sentido de ouvir não ficou sem sua parte de dor.

Ali vi então, na piedade que houve de outrem, camanha a devera de ter de mim, se não fora demasiadamente mais amiga de minha dor do que parece que foi de mim quem me é a causa dela. Mas tamanha é a razão por que são triste, que nunca me veio mal nenhum que eu já não andasse em busca dele. Daqui me veio a mim parecer que esta mudança em que me eu agora vejo, já a eu então começava a buscar, quando me esta terra, onde me ela aconteceu aprouve mais que outra nenhuma para vir nela acabar os poucos dias de vida, que eu cuidei me sobejavam. Mas em isto como em as outras cousas também me enganei, que agora já há dous anos que estou aqui, e não sei ainda tão-somente determinar pera quando me aguarda a derradeira hora. Não pode já vir longe.

Isto me pôs em dúvida de começar a escrever as cousas que vi e ouvi. Mas depois, cuidando comigo, disse eu que arrecear de não acabar de escrever o que vi, não era causa e para o deixar de fazer, pois não havia de escrever pera ninguém senão pera mim só, ante quem cousas não acabadas não havia de ser novo. Que quando vi eu prazer acabado ou mal que tivesse fim? Antes me pareceu que este tempo que hei-de estar assi em este ermo, como ao meu mal aprouve, não o podia empregar em cousa que mais de minha vontade fosse. Pois Deus quis, assi minha vontade seja[66].

Entre os seguidores de Sá de Miranda, António Ferreira[67] foi um entusiasta do literário italiano em Portugal, aderindo completamente à nova estética e rejeitando a tradição ibérica. Deixou, além da produção poética, uma tragédia em moldes gregos, *A Castro*, a primeira tragédia escrita em português, sobre a história de amor e morte de Inês de Castro e Pedro I. A história de Inês de Castro havia inspirado Garcia de Resende, que compusera antes suas *Trovas à morte de D. Inês de Castro*. A história dos amores de Inês e Pedro se tornaria um dos grandes temas portugueses de todos os tempos, gerando leituras e releituras em obras literárias compostas nos mais diversos períodos, até os nossos dias.

---

66. RIBEIRO, Bernardim. *Menina e moça*, "Monólogo da menina" – primeira página do manuscrito. Projecto Vercial da Universidade do Minho. Disponível em: http://alfarrabio.di.uminho.pt/vercial/ribeiro1.htm. Acesso em: 22 abr. 2011.

67. 1528-1569.

Trovas que Garcia de Resende fez à morte de D. Inês de Castro, que el-rei D. Afonso, o Quarto, de Portugal, matou em Coimbra por o príncipe D. Pedro, seu filho, a ter como mulher, e, polo bem que lhe queria, nam queria casar. Enderençadas às damas.

*Senhoras, s'algum senhor
vos quiser bem ou servir,
quem tomar tal servidor,
eu lhe quero descobrir
o galardam do amor.
Por Sua Mercê saber
o que deve de fazer
vej'o que fez esta dama,
que de si vos dará fama,
s'estas trovas quereis ler.*

Fala D. Inês

*Qual será o coraçam
tam cru e sem piadade,
que lhe nam cause paixam
úa tam gram crueldade
e morte tam sem rezam?
Triste de mim, inocente,
que, por ter muito fervente
lealdade, fé, amor
ó príncepe, meu senhor,
me mataram cruamente!*

A minha desaventura
nam contente d'acabar-me,
por me dar maior tristura
me foi pôr em tant'altura,
para d'alto derribar-me;
que, se me matara alguém,
antes de ter tanto bem,
em tais chamas nam ardera,
pai, filhos nam conhecera,
nem me chorara ninguém.

Eu era moça, menina,
per nome Dona Inês
de Castro, e de tal doutrina
e vertudes, qu'era dina
de meu mal ser ó revés.
Vivia sem me lembrar
que paixam podia dar
nem dá-la ninguém a mim:
foi-m'o príncepe olhar,
por seu nojo e minha fim.

Começou-m'a desejar,
trabalhou por me servir;
Fortuna foi ordenar
dous corações conformar
a úa vontade vir.
Conheceu-me, conheci-o,
quis-me bem e eu a ele,
perdeu-me, também perdi-o;

nunca té morte foi frio
o bem que, triste, pus nele.

Dei-lhe minha liberdade,
nam senti perda de fama;
pus nele minha verdade
quis fazer sua vontade,
sendo mui fremosa dama.
Por m'estas obras pagar
nunca jamais quis casar;
polo qual aconselhado
foi el-rei qu'era forçado,
polo seu, de me matar.

Estava mui acatada,
como princesa servida,
em meus paços mui honrada,
de tudo mui abastada,
de meu senhor mui querida.
Estando mui de vagar,
bem fora de tal cuidar,
em Coimbra, d'assessego,
polos campos de Mondego
cavaleiros vi somar.

Como as cousas qu'ham de ser
logo dam no coraçam,
comecei entrestecer
e comigo só dizer:
Estes homens donde iram?
E tanto que que preguntei,

soube logo qu'era el-rei.
Quando o vi tam apressado
meu coraçam trespassado
foi, que nunca mais falei.

E quando vi que decia,
saí à porta da sala,
devinhando o que queria;
com gram choro e cortesia
lhe fiz úa triste fala.
Meus filhos pus de redor
de mim com gram homildade;
mui cortada de temor
lhe disse: – "Havei, senhor,
desta triste piadade!"[68]

No entanto, a mais conhecida delas seria a leitura dada ao episódio pelo grande nome do Renascimento português, Luís de Camões[69], que imortalizaria a história de Inês de Castro no Canto III do poema épico Os Lusíadas.

Gil Vicente não aderiu às inovações estilísticas trazidas por Sá de Miranda. Continuou a compor seus autos e peças guiado por sua incrível capacidade de observação de seu povo e de sua sociedade. Tomou do Renascimento a atitude crítica perante os dramas vividos em Portugal, a convicção da necessidade da igualdade entre os homens independentemente de origem e fé e o uso de figuras mitológicas oriundas da tradição greco-romana. Enquanto produzia sua obra, um poeta e historiador português trabalhava sua própria com grande afinco: João de Barros[70]. Em 1522, oferecera ao príncipe D. João um romance de cavalaria, a *Crónica do Imperador*

---

68. RESENDE, Garcia de. *Trovas à morte de Inês de Castro*. Projecto Vercial da Universidade do Minho. Disponível em: http://alfarrabio.di.uminho.pt/vercial/resende.htm#poesias. Acesso em: 22 abr. 2011.
69. 1524 ou 1525-1580.
70. 1496-1570.

Clarimundo, uma narrativa em que o fictício Clarimundo seria um antepassado do primeiro monarca português e, portanto, representa a origem da gloriosa monarquia lusitana. Com João de Barros, o romance de cavalaria se nacionaliza completamente, uma vez que nele são exaltadas as raízes das futuras glórias portuguesas. Clarimundo, Imperador da Hungria e de Constantinopla, chega a Portugal, terra de seus futuros descendentes – após combates guerreiros e episódios que envolvem seres maravilhosos –, onde lhe é vaticinado por um feiticeiro o destino de iniciador de uma estirpe de reis capazes de feitos extraordinários, abençoados diretamente por Deus. Nessa obra, que, com certeza, influenciou Camões, existe já a preocupação em harmonizar o imaginário mitológico (nesse caso bastante tributário da herança céltica) com a fé cristã, enunciada sempre como superior e única "verdadeira". João de Barros, que também se preocupou com o aspecto didático, criou uma cartilha destinada à alfabetização, a *Cartilha de aprender a ler*[71].

O último auto vicentino foi representado em 1536, e Gil Vicente deve ter morrido em algum momento dos dois anos seguintes. O ano de 1536 é marcante por, pelo menos, dois outros importantes acontecimentos: é publicada a primeira gramática da língua portuguesa, de autoria de Fernão de Oliveira; e é instaurado o Tribunal da Inquisição em Portugal. A instauração da Inquisição em Portugal é um triste marco, determinante para o enfraquecimento da produção intelectual e artística portuguesa pelos próximos séculos. Instituição que atuava na Espanha desde 1478, semeava o terror. O medo e o fanatismo decorrentes de seus atos impediram a continuação do florescimento artístico que vinha até então sendo experimentado em toda a Península Ibérica. Em

71. Publicada em 1540.

Portugal, assistimos ainda a muitas manifestações do até então cultivado espírito humanista, como a publicação de uma segunda gramática da língua portuguesa, de João de Barros, em 1540, bem como de vários dicionários e gramáticas de latim clássico. Ainda obras de natureza científica, como a de Pedro Nunes – médico, matemático, cosmógrafo e técnico náutico – provam o avanço não apenas artístico, mas também tecnocientífico português. No entanto, o sufocamento causado pela atuação da Inquisição vai se fazendo sentir, afetando todos os ramos do saber e das artes pelos séculos seguintes. A partir da forte atuação da Inquisição, enquanto o restante da Europa se civiliza, a partir da Itália, com a chegada do Renascimento, a Península Ibérica começa seu mergulho num longo período marcado pela estagnação.

O medo é uma arma poderosa, como sabemos bem pelo momento histórico que vivemos, em que o fantasma do terrorismo nos aterroriza e chega a nosso cotidiano em coisas pequenas, mas significativas. O que teria sido possível realizar nos campos artístico, cultural e científico na Península Ibérica se a Inquisição não tivesse ocorrido? Jamais poderemos responder a essa questão, mas podemos observar o que aconteceu em outra parte da Europa, onde os ares eram de liberdade, mais favoráveis, portanto, ao florescimento artístico, cultural e científico. Para tanto, vamos arrumar as malas e viajar...

Ainda uma pequena excursão terrestre: Itália do Renascimento

O fato de a Itália ter sido o berço do Renascimento deve-se a uma série de questões ligadas à sociedade local. Terra de mercadores livres, estava dividida em cidades-estados, que se tornam notáveis pelo desenvolvimento de diferentes tipos de comércio, sobretudo Florença, considerada a nova Roma. A atividade mercantil gerou abundância econômica, o que, somado à liberdade de opiniões, fomentou a produção artística, muito voltada à satisfação dos desejos de uma classe endinheirada. A partir do século XIV, diversos homens de letras e artistas começaram a refletir sobre os restos da cultura material romana (ruínas, estátuas, sarcófagos etc.) e a reutilizar os materiais para construções novas, ao mesmo tempo em que consideravam o modo de pensar daquele mundo antigo como inspirador ideal para os novos tempos. Havia, na Itália do período, modos de viver centrados na vida citadina: as cidades com suas praças, lugares públicos de discussão, encontro social e trocas variadas – culturais, inclusive –, locais também de colocação de monumentos artísticos que passavam a ser de fruição de todos. Sente-se, nesse período, um desejo de volta aos ideais da Roma antiga, com a consequente busca pelos literatos de restaurar a literatura latina.

A Itália já vira e apreciara as obras literárias de Dante (1265-1321) e Petrarca (1304-1374). Dante glorificou a paixão terrena por Beatriz na *Divina Comédia*, obra em que, como personagem, é guiado por Virgílio – o grande poeta romano do século I a.C. – em um passeio pelas esferas de Inferno, Purgatório e Paraíso – numa volta à cultura clássica de matriz mediterrânea, ou seja, greco-latina. Com a *Divina Comédia*, Dante consolidou a língua italiana, que utiliza tendo o latim como base, ou seja, essa consolidação não se dá a partir da oralidade, mas sim a partir de uma matriz culta. Como resultado, podemos afirmar que Dante construiu a matriz da língua italiana futuramente considerada oficial e utilizada para o ensino. Já Petrarca voltou-se explicitamente para a cultura e o latim romanos (especificamente de Cícero, o grande orador romano da transição dos séculos II para I d.C.), a partir dos quais repensa o gênero lírico. Assim sendo, Roma é o modelo ideal, inclusive em termos linguísticos, ou seja, o latim clássico, da reconstrução de uma cultura elevada. O movimento criado pela busca dos ideais romanos gera, na Itália, uma imensa procura de fontes literárias, produção de novas traduções e a busca de um naturalismo nas artes, cujo auge serão, a partir do final do século XV, as obras de Leonardo da Vinci, Michelangelo e Rafael.

Enquanto a Itália vive um apogeu mercantil e o dinheiro acumulado com o movimento social de busca dos ideais do passado gera a pujança do Renascimento, Portugal tem dificuldades no gerenciamento das colônias e mesmo do empreendimento representado pelas navegações e começa a se endividar com países economicamente mais poderosos, como a Inglaterra. O Renascimento português torna-se, dessa maneira, diferente, uma vez que o entusiasmo pelas navegações é seguido pelo desencanto, ao mesmo tempo em que, no campo artístico, a ação da Inquisição vai minando o florescimento de obras, já que o fazer artístico é atividade que pressupõe liberdade de expressão.

As navegações portuguesas e sua consequente expansão, a tomada de territórios e abertura de novas rotas comerciais, foram um empreendimento surpreendente, mas insustentável a longo prazo. Quando começa sua aventura marítima, Portugal conta com uma população de menos de 2 milhões de habitantes, contados homens, mulheres e crianças. Dessa maneira, a disposição para controlar, dirigir e explorar comercialmente um espaço marítimo que tomava boa parte da América do Sul, parte da Índia e da África conflitava com uma realidade em que não se tinha sequer contingente para empreender tão grande tarefa, ademais da falta de experiência administrativa para atuar em tão larga escala. Por isso, o apogeu da dominação portuguesa não poderia durar muito, e os sinais de cansaço e desmoronamento do sonho imperial já eram evidentes cerca de cinquenta anos após a viagem de Vasco da Gama. Um homem, dentre os muitos que viveram a aventura e desventura portuguesa do período, converteu-se no maior nome do Renascimento português: Luís Vaz de Camões.

bertos, onde as proas
As maritimas agoas consag
ue do gado de Proteo sam
limpo
da hum
obre as cousas futuras do O
ijando o cristalino Ceo ferm
Iem pela via Lactea, junta

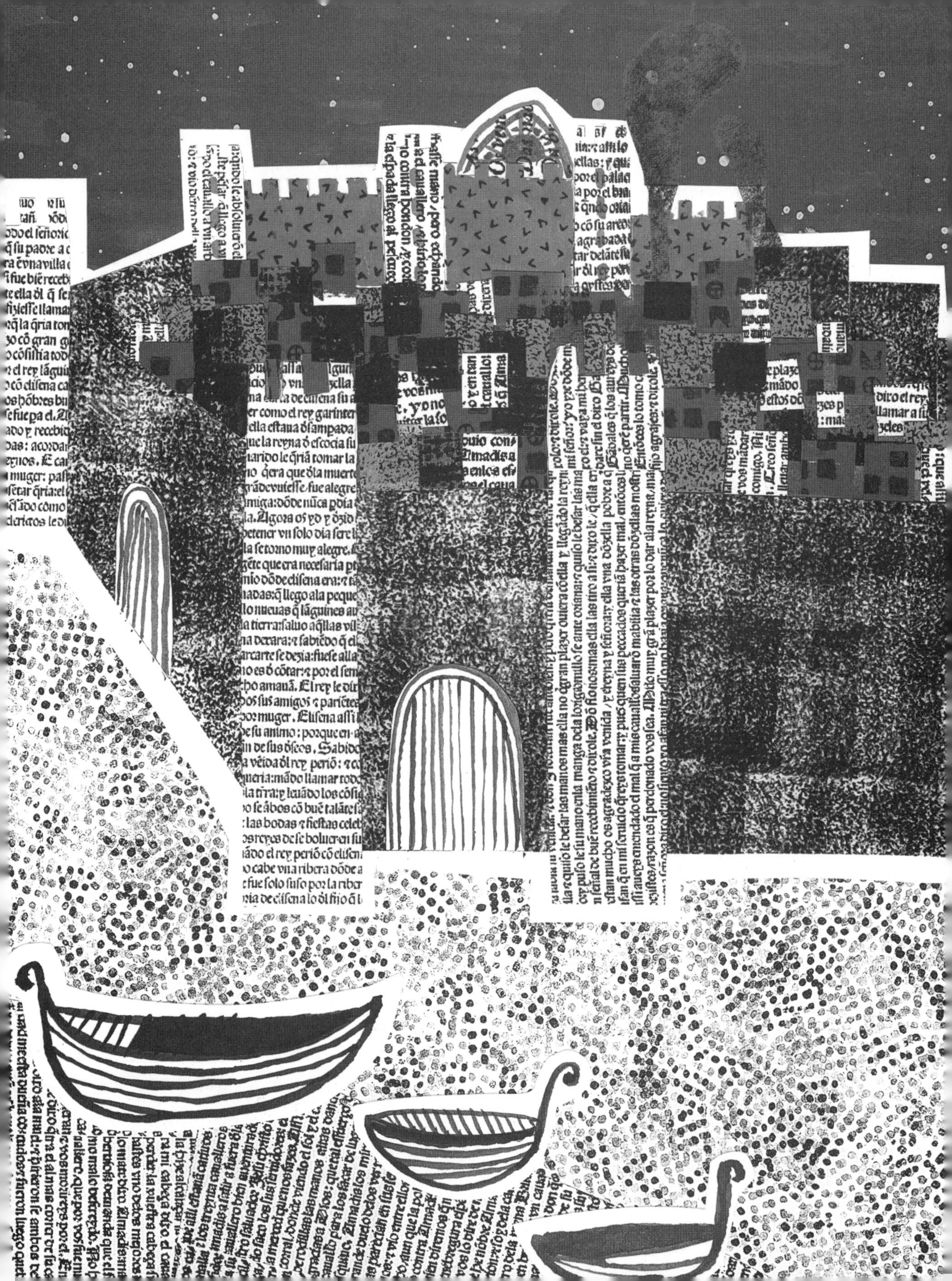

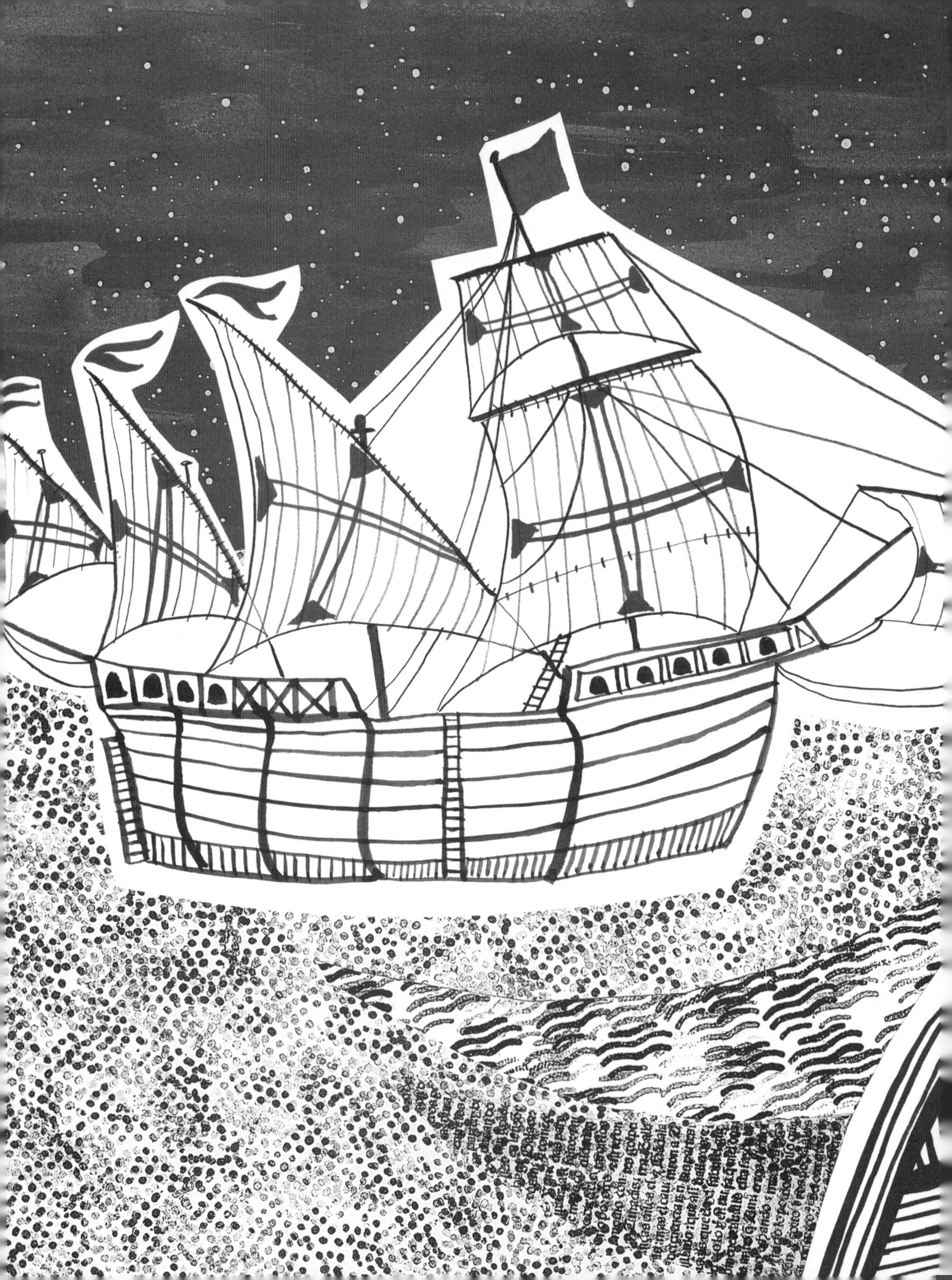

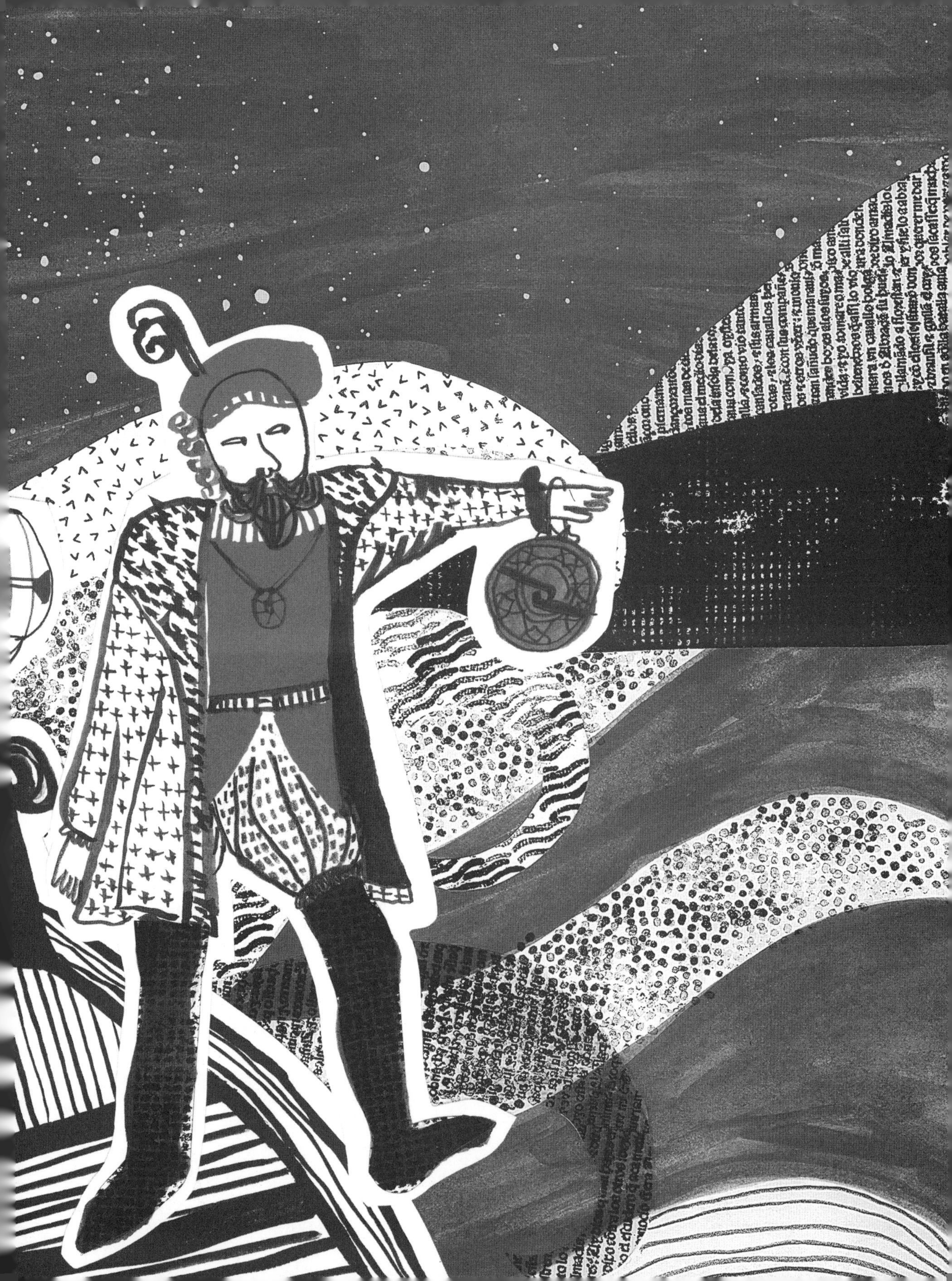

Por mares nunca dantes navegados: Luís de Camões, *Os Lusíadas* e algo mais

Alguns dos autores da literatura portuguesa tiveram entrelaçada vida e obra a tal ponto que é preciso, para se formar uma ideia completa de sua literatura, entrar por seus territórios privados, vida adentro – ao menos do que é possível realmente sabermos da vida dos poetas. Luís Vaz de Camões, autor do maior poema épico da língua portuguesa – também um dos mais belos compostos em todos os tempos – é um desses autores. Como um todo, os escritores raramente são escritores por acaso, mas sim porque a própria matéria de que são feitos – sua organização psíquica – os leva a se manifestarem pela escrita e a se completarem como pessoas prevendo leitores para o que escrevem. Sem dúvida, grande parte deles almeja a imortalidade, sonhando com a permanência de sua obra para muito além do limitado tempo de uma vida humana. Muitos parecem desejar ainda mais: a sobrevivência de suas ideias e daquilo em que acreditaram, narrado da mais bela maneira, de modo a tornar inesquecível o que contam. Mesmo não sendo capazes de mudar o mundo e a história, os escritores mudam a sua posição diante da realidade, e, em alguns casos, são capazes de levar muitos outros com eles – seus leitores, que, durante um tempo que não se pode determinar ao certo o quanto, serão capazes de se buscar e se encontrar em suas palavras.

No contexto do Renascimento, era dado um grande valor à poesia, um estatuto de importância que a colocava no mesmo patamar, por exemplo, das pesquisas científicas nas áreas da astronomia, nesse momento em que ainda se sabia muito pouco sobre a própria Terra. Muitos poetas renascentistas – em vários países da Europa – sonharam e tentaram escrever poemas épicos exaltando os feitos humanos do período: desde a celebração das Cruzadas às conquistas marítimas logradas por

Portugal e Espanha. O Renascimento foi marcado, entre outros elementos, pela revisitação da cultura legada pela Grécia e Roma, com todo o seu patrimônio artístico, sua mitologia e, também, sua literatura, na qual figuram grandes epopeias, como a *Ilíada*, a *Odisseia* e a *Eneida*[72]. A professora Cleonice Berardinelli enfatiza que, no caso português, o desejo pela realização de uma grande epopeia, capaz de cantar as glórias do povo português, estava exacerbado nos poetas do período imediatamente posterior às navegações, "pela consciência de haver o seu povo criado a matéria épica que urgia cantar"[73].

Ao que parece, Luís de Camões dedicou grande parte de sua vida ao sonho de construir literariamente esse grande poema épico de celebração a Portugal e suas conquistas. Conseguiu realizar a obra e vê-la publicada quase ao final dessa vida plena de aventuras e desventuras, a vida de um homem pobre e culto no epicentro de um furacão: o Império Português do século XVI.

Sobre o título do poema épico, ensinam Segismundo Spina e Evanildo Bechara que "Lusíadas" foi palavra empregada em Portugal pela primeira vez na obra do humanista português André de Resende, em 1531, e repetida pelo mesmo num poema sobre S. Vicente (lembremos que é o padroeiro de Lisboa), escrito no mesmo ano, mas publicado mais de uma década após, onde explica o uso do termo dizendo que chama os lusitanos de "Lusíadas" como Virgílio teria derivado do seu herói Eneias o nome para batizar a Eneida. Assim, "lusíadas" será, para Camões, termo que designa os descendentes de "Luso", isto é, os lusitanos.

Luís Vaz de Camões parece ter nascido em Lisboa em 1524 ou 1525, de uma família fidalga, mas pobre, originária da Galícia. Ao que tudo indica, estudou em Coimbra, no

72. Segundo o Professor Antonio Medina Rodrigues, epopeia é uma "composição poética de origem arcaica, dividida em cantos e constituída de um núcleo narrativo heroico, de teor geralmente nacionalista. O elemento transcendental na epopeia costuma ser representado pela relação entre os deuses e os homens. A ideologia épica busca antes de mais nada a vitória e a conquista" (RODRIGUES, Antonio Medina. *Roteiro de leitura: Sonetos de Luís Vaz de Camões*. São Paulo: Ática, 1998, p. 80).

73. BERARDINELLI, Cleonice. "Os Lusíadas". In: *Estudos camonianos*. Rio de Janeiro: Nova Fronteira, 2000, p. 319.

Convento de Santa Cruz – onde trabalhava um tio, D. Bento de Camões. Sua obra futura mostra sólida e eclética formação cultural: não apenas no campo literário, mas também em toda a filosofia e ciência ensinadas no período. Em seus escritos irá transparecer o conhecimento da obra dos cronistas portugueses dos primeiros séculos, a de escritores clássicos e renascentistas, além de conhecimentos técnicos e filosóficos.

Aos vinte anos está de volta a Lisboa, onde, graças à origem nobre, frequenta a corte de D. João III. Jovem e inquieto, conhece e participa também das rodas boêmias da capital, ganhando logo a fama de conquistador, briguento e arruaceiro. Pouco depois, como muitos fidalgos empobrecidos, vê no empreendimento colonial – de que poderia participar como membro do exército português – a possibilidade de ter patente e renda (e talvez de fugir às consequências das confusões em que, via de regra, se metia). Muitos biógrafos falam, também, da sede de aventuras do jovem Camões, ansioso por conhecer outras terras e ver outros povos. Não se pode saber ao certo em que medida cada uma das pressões exercidas sobre Camões acabou por levá-lo a deixar Portugal, mas com certeza se pode dizer que sua trajetória reproduziu a de muitos jovens do seu tempo: a necessidade de resolver sua conturbada vida pessoal e de ter um trabalho remunerado encontrou-se com a necessidade do país em manter, com um número muito pequeno de pessoas, o domínio comercial sobre várias rotas marítimas que primeiro descobrira, além de administrar, da melhor maneira possível, os territórios ocupados. Desses territórios ocupados, a maior preocupação portuguesa, na época do jovem Camões, era com as possessões no Oriente, de onde vinha a principal renda do período: o comércio[74].

74. Nos séculos XV e XVI, o Oriente era o destino da maior parte do contingente humano que se deslocava de Portugal.

A tomada de Ceuta em 1415 tinha sido o marco inicial das conquistas portuguesas, porém a resistência dos antigos dominadores da região era constante, e é exatamente para lá que vai Camões, alistado no exército como soldado, em 1549. Ferido em combate, perde o olho direito, retornando para Lisboa, onde volta a seus antigos hábitos boêmios por algum tempo. Quase dois anos depois se envolve numa briga com um oficial do paço imperial, Gonçalo Borges, mais bem relacionado que ele, a quem fere. Como resultado, quase um ano de cadeia, da qual sai através de uma *Carta de Perdão e Soltura* assinada pelo rei D. João III, condenado a pagar uma multa que seria destinada à caridade. Na carta de perdão e soltura, os argumentos a favor de Camões são a falta de gravidade do ferimento de Gonçalo e a disposição do rapaz pobre, filho de cavaleiro fidalgo, em ir servir a Portugal na Índia, ainda naquele ano (1553). Não se sabe ao certo se a "disposição" de Camões foi real, fruto de necessidade somada a espírito de aventura, ou a viagem foi parte da pena, um exílio. De qualquer maneira, pouco depois de deixar a cadeia, Camões parte para Goa, cidade-sede da administração portuguesa no continente indiano, e dali para trabalhos em Malabar, no Timor, no estreito de Meca, no Golfo Pérsico, e em Macau, onde vamos encontrá-lo em 1556 exercendo um cargo administrativo, o de "provedor-mor dos defuntos e ausentes", um oficial encarregado de gerir bens de ausentes e desaparecidos. Acusado de mau uso do cargo, segue num navio para Goa, já preso, para explicar-se ao representante português local. Junto dele iam os manuscritos da obra que vinha compondo – o épico *Os Lusíadas* – e, como companhia, sua amante, uma escrava chinesa, Dinamene. Junto à foz do rio Mecon – na então Indochina –, o navio naufraga.

Num lance que intriga e divide seus biógrafos até hoje, Camões se salva e trata de salvar o baú com o manuscrito de *Os Lusíadas*, segundo a lenda nadando com um só braço, enquanto sua amada Dinamene morre afogada há poucos metros de distância. Perdoado pelo governador de Goa, livre das acusações que pesavam sobre ele, Camões volta a partir de Goa anos depois, desta vez para a África, acompanhando a Moçambique o governador Pero Barreto.

Recém-chegado a Moçambique, é preso por antigas dívidas. O período de Camões na África durará alguns anos de miséria, doença e prisões, durante os quais continua a escrever sua obra. Um historiador português, Diogo do Couto, passa por Moçambique e o encontra na penúria, comendo de favor em casa de amigos, que acabam por juntar recursos para custear roupas, a passagem de volta e dinheiro para a longa jornada. Em 1570, dezessete anos após sua partida de Lisboa, Camões regressa à pátria com os originais de *Os Lusíadas* praticamente prontos para publicação e trabalhando na compilação de sua obra lírica. Encontra a capital de Portugal devastada pela peste, que vitimara vários de seus mais antigos amigos. Camões tem aproximadamente 45 anos, e começa nova luta: a obtenção dos favores régios para a publicação de *Os Lusíadas*. O rei era o jovem D. Sebastião, a quem o poema é dedicado, que propicia a publicação, em 1572, e concede ao autor uma pensão anual de 15.000 réis, válida por três anos[75], pelo poema e pelos serviços prestados ao reino. Infelizmente a pensão não tira Camões da miséria, uma vez que o valor era por si só pequeno e, além disso, não foi pago regularmente. Em 1578, o rei D. Sebastião desaparece, com apenas dezoito anos e sem deixar herdeiros, na Batalha de Alcácer-Quibir. Camões vive miseravelmente mais dois anos, até ser vitimado por outra epidemia de peste,

75. A pensão foi renovada por duas vezes durante a vida de Camões e mais uma vez após sua morte, em benefício de sua mãe.

em 1580[76], ano em que Portugal perde sua autonomia política, caindo sob o domínio da Espanha. Numa de suas últimas cartas, endereçada a D. Francisco de Almeida, o poeta sintetiza este momento, em que se desenhava no horizonte a anexação de Portugal pela Espanha: "Enfim, acabarei a vida e verão todos que fui tão afeiçoado à minha pátria que não me contentei em morrer nela, mas com ela".

> *As armas e os barões assinalados*
> *Que, da ocidental praia lusitana,*
> *Por mares nunca dantes navegados*
> *Passaram ainda além da Taprobana,*
> *Em perigos e guerras esforçados,*
> *Mais do que prometia a força humana,*
> *E entre gente remota edificaram*
> *Novo reino, que tanto sublimaram*[77];
> [Canto I de *Os Lusíadas*, primeiros versos]

Os Lusíadas é uma obra plena das aspirações do ser humano da Renascença: a crença de que aquele era um momento único que a humanidade experimentava, comparável, com certeza, às conquistas gregas e romanas na antiguidade, mas superando-as. Ao final do último canto da obra, a deusa Tétis leva Vasco da Gama ao alto de uma montanha, onde um espetáculo o espera: a contemplação da máquina do mundo, um globo terrestre, descrito em seu funcionamento perfeito, segundo a concepção de Ptolomeu – que acreditava que a Terra era o centro do Universo. Acrescida à descrição científica, vem a simbólica, onde aparecem o Paraíso e são proferidas máximas de valor renascentista, como a busca da perfeição e do ideal, alcançáveis pela razão.

76. Camões morreu miseravelmente, não se sabe ao certo em que dia, e foi enterrado sem caixão, em cova rasa, exatamente como as muitas outras vítimas da peste que pertenciam às camadas mais pobres. Com o passar dos anos, a tradição passou a adotar o dia 10 de junho de 1580 como data oficial da morte. No século XX, durante a longa ditadura salazarista – que durou quase cinquenta anos – nesse dia se comemorava o "Dia da Raça", sendo feito um uso ideológico intenso da figura de Camões e do ideário imperial presente em *Os Lusíadas*. Desde 1978, 10 de junho, que permaneceu feriado nacional, é Dia de Portugal, de Camões e das Comunidades Portuguesas.

77. Estes são os versos de abertura de *Os Lusíadas*. "Barões" são os "varões", os homens, assinalados pelo destino para cumprirem o glorioso destino de navegarem por mares nunca antes explorados, passando além do Ceilão (Taprobana foi o antigo nome). As referências da época são lugares do Oriente, de onde há séculos vinham produtos comerciais muito valorizados na Europa, mas para os quais – antes dos portugueses – não havia rota marítima, somente terrestre.

Na epopeia de Camões, o herói é coletivo: o povo português. Logo no início do poema, ele declara que irá cantar o "peito ilustre lusitano". Vasco da Gama é, sim, um herói individual, mas, na obra, ele será uma espécie de personagem – condutor, protagonista, mas também um divulgador das glórias de Portugal. Vasco da Gama irá narrar para representantes de outra cultura, que não conhecem a Europa ou a civilização europeia, toda a história de Portugal, de seus reis e dos feitos dos homens que, pela primeira vez, desbravaram os mares. Camões foi o primeiro poeta europeu a pessoalmente não apenas lidar com outras culturas, mas também a escrever sobre essa experiência. Quanto à forma, *Os Lusíadas* obedece à divisão determinada pela tradição, tendo cinco partes: Proposição, Invocação, Dedicatória, Narração e Epílogo[78]. São dez cantos ao todo, sendo que, no primeiro deles, estão Proposição, Invocação, Dedicatória e o início da Narração. Na Proposição[79] está a apresentação da matéria a ser cantada: os feitos dos navegadores portugueses, em especial os da esquadra de Vasco da Gama e a história do povo português. Na Invocação[80], o poeta invoca o auxílio das musas do rio Tejo – rio símbolo de Portugal, uma vez que dali saíram as naus – a inspirá-lo na composição da obra. Na Dedicatória[81], o poeta dedica o épico ao rei D. Sebastião, a quem atribui a esperança de propagação da fé católica e continuação das grandes conquistas portuguesas por todo o mundo. Na Narração[82] está concentrada a maior parte do poema, que trata da matéria em si, da viagem de Vasco da Gama, em que se narram todas as glórias passadas e presentes da heroica história portuguesa. No Epílogo[83], o poeta termina a narração, num largo lamento em que diz que sua voz está rouca e sua lira destemperada,

---

78. Há estudiosos que consideram quatro as partes da epopeia, excluindo o Epílogo, que então é considerado como a parte final da Narração.
79. Canto I, Estrofes 1 a 3.
80. Canto I, Estrofes 4 e 5.
81. Canto I, Estrofes 6 a 18.
82. Canto I, Estrofe 19 a Canto X, Estrofe 144.
83. Canto X, Estrofes 145 a 156.

não do canto, mas da tarefa ingrata de cantar "a gente surda e endurecida". A par do lamento, clama a D. Sebastião por atenção para com o povo e com a justiça; pede ainda que mantenha o grande Império pelo qual ficará conhecido como um novo Alexandre Magno.

A Narração toma a maior parte do poema. A história propriamente dita inicia-se em pleno mar, quando Vasco da Gama e sua frota se dirigem para o cabo da Boa Esperança, com a finalidade de chegarem à Índia pelo mar. Ajudados pelos deuses Vênus e Marte e perseguidos por Baco e Netuno, os navegadores portugueses passam por muitas aventuras, sempre comprovando seu valor e fazendo prevalecer a fé cristã. Na parada em Melinde, ao atingirem Calecute, são contadas aos soberanos locais as histórias de Portugal e dos feitos heroicos de seu povo. *Os Lusíadas* têm pelo menos quatro aspectos narrativos a considerar: o "canto" do poeta, que propõe a narrativa, invoca as musas, dedica o poema ao rei e conta a longa história de Portugal e de suas glórias, aconselhando, por fim, o rei no sentido de se tornar imortal; a narrativa da viagem de Vasco da Gama em si, que já aparece em andamento, e a partir da qual em *flashbacks* será contada toda a história portuguesa; a história de Portugal em si mesma considerada, que abrange desde as origens míticas até o momento presente; a presença do maravilhoso, através do aporte da mitologia, que coloca, desde o início, a aventura portuguesa no centro da discussão de um Concílio de Deuses, que guerreiam entre si, jogando à sorte do povo heroico, artifício que transfere o destino português para uma dimensão ultra-humana[84]. Interessante é lembrar que, embora a Inquisição fosse muito presente em Portugal nesse período, e exercesse pesada censura em tudo o que pudes-

84. Vejamos a opinião de António José Saraiva sobre a presença dos deuses em *Os Lusíadas*: "É através dos deuses principalmente que Camões instila no seu poema um conteúdo humanístico de confiança no destino humano. Na sua própria carne florescente, os deuses de Camões representam o ideal de super-homem que Miguel Ângelo cantou na tela e no mármore" (SARAIVA, António José. *Iniciação à literatura portuguesa*. São Paulo: Companhia das Letras, 1999, 2ª reimpressão, p. 60).

se ser publicado, Os Lusíadas recebeu a "Licença do Santo Ofício" para sua impressão. Camões realmente pensou neste aspecto mais do que relevante no contexto do período – que poderia determinar não apenas se o poema seria ou não publicado, mas o destino de seu autor, que poderia até ser levado à morte caso o "assunto" dos deuses pagãos não fosse bem conduzido: no Canto X, o poeta coloca habilmente a Deusa Tétis dizendo a Vasco da Gama que ela e os demais deuses eram fabulosos, seres inventados pelo homem "fingidos de mortal e cego engano, só para fazer versos deleitosos"[85], sendo que quem realmente governava o mundo era Deus. Na "Licença do Santo Ofício", o censor declara que o livro é "digno de se imprimir", elogiando o autor, que "mostrou nele muito engenho e muita erudição". Menciona o uso "duma ficção dos deuses dos gentios", recurso que o autor usou somente para "ornar o estilo poético", e assim sendo não achou "inconveniente ir esta fábula dos deuses na obra [...] ficando sempre salva a verdade de nossa santa fé, que todos os deuses dos gentios são demônios"[86]. Como se vê, Camões conseguiu seu intento: compôs e publicou Os Lusíadas, inscrevendo seu nome na história da literatura mundial, imortalizando a história de Portugal, de suas navegações e das aspirações do homem do Renascimento.

Alguns dos episódios de Os Lusíadas mantêm intactos seu frescor e sua atualidade. Uma vez em Melinde, durante a narrativa do passado português, o intenso lirismo do episódio de Inês de Castro emociona e surpreende. Nessa escolha, Camões contraria um dos pressupostos da epopeia clássica, onde o episódio lírico é sempre vivido pelo herói. Nesse caso, em que o herói é coletivo – todo o povo português –, uma personagem secundária, Inês de Castro, será a heroína.

---

85. No original, Canto X, Estrofe 82: "Fingidos de mortal e cego engano. / Só pera fazer versos deleitosos".

86. Citado a partir da reprodução da "Licença do Santo Ofício" reproduzida na seção "Documentos de época" da edição de Os Lusíadas, preparada por Carlos Felipe Moisés para a Série Bom Livro da Editora Ática. (CAMÕES, Luís de. Os Lusíadas. Apresentação, seleção e notas Carlos Felipe Moisés. São Paulo: Ática, 2004, 10ª edição, 8ª reimpressão, p. 107 e 108).

Estavas, linda Inês, posta em sossego,
De teus anos colhendo doce fruito,
Naquele engano da alma, ledo e cego,
Que a Fortuna não deixa durar muito,
Nos saudosos campos do Mondego,
De teus fermosos olhos nunca enxuito,
Aos montes ensinando e às ervinhas
O nome que no peito escrito tinhas.
[Fragmento do Canto III, estrofe 120]

Amante do príncipe Pedro, Inês de Castro viera para a corte portuguesa como acompanhante da princesa que se casaria com Pedro, D. Constança de Castela. Inês e Pedro tornam-se amantes, D. Constança morre e a relação amorosa entre eles prossegue. Da união resultam quatro filhos e o príncipe tenciona casar-se com Inês. O pai de Pedro, o rei D. Afonso IV, preocupado com a ligação de Inês a seus irmãos espanhóis – o que poderia no futuro ameaçar a soberania portuguesa –, manda matar Inês de Castro enquanto o filho se encontra em viagem. Tão logo o pai morre, ele mata os algozes de Inês e manda desenterrá-la, coroando-a, depois de morta, rainha, revelando a todos que, tão logo ficara viúvo, ambos se haviam casado numa cerimônia secreta. Camões dá ênfase ao aspecto humano da tragédia de amor em sua narrativa do episódio, e não aos aspectos políticos envolvidos no assassinato de Inês de Castro. A beleza dos versos imortalizou uma história que já comovia os poetas portugueses desde seu acontecimento, e, em mais uma transgressão de Camões, glorifica e enaltece um amor ilícito, que começa em adultério e continua em mancebia – atitudes execradas pela Igreja –, conferindo ao caso amoroso reprovável pelos padrões vigentes a aura dos grandes amores.

Em *Os Lusíadas*, Camões canta o sonho representado pelos descobrimentos, que ecoavam a ânsia de liberdade desejada desde o período feudal. A possibilidade de viajar e a abertura trazida pelo comércio significavam para os portugueses a promessa de um novo modo de viver, pleno de possibilidades nunca antes sonhadas. Camões enaltece o período e o homem, que, pela primeira vez na história, parece tomar as rédeas do destino em suas próprias mãos, desbravando um mundo de dimensões não conhecidas, um universo ainda apenas pressentido.

Mas o poeta que cantou as glórias dos descobrimentos experimentara na carne a vida nas possessões asiáticas e africanas, e soube, em seu grande poema épico, compreender e reconhecer alguns aspectos negros do sonho expansionista, como no Episódio do Velho do Restelo, em que esta personagem lamenta e critica a aventura marítima. Quando Vasco da Gama e sua tripulação se preparam para partir, um velho senhor de aspecto respeitável levanta sua voz do meio da multidão que, da praia de Restelo, olha os preparativos, e, com a sabedoria conferida pela experiência, diz:

> *Ó glória de mandar! Ó vã cobiça*
> *Desta vaidade, a quem chamamos Fama!*
> *Ó fraudulento gosto, que se atiça*
> *C'uma aura popular, que honra se chama!*
> *Que castigo tamanho e que justiça*
> *Fazes no peito vão que muito te ama!*
> *Que mortes, que perigos, que tormentas,*
> *Que crueldades neles experimentas!*

Nesse episódio, Camões dá voz à opinião contrária ao senso comum – que enaltece a expansão. O Velho do Restelo é frontalmente contra a política expansionista, e prevê desastres para a vida dos envolvidos no empreendimento:

Dura inquietação d'alma e da vida,
Fonte de desamparos e adultérios,
Sagaz consumidora conhecida
De fazendas, de reinos e de impérios:
Chamam-te ilustre, chamam-te subida,
Sendo dina de infames vitupérios;
Chamam-te Fama e Glória soberana,
Nomes com quem se o povo néscio engana!
[Episódio do Velho do Restelo, estrofe 96 do Canto IV]

Nesse momento, Camões tece um contraponto a todo o seu discurso durante todo o poema, num momento de anticlímax narrativo, uma vez que, na fala do velho, a viagem e tudo o que ela representa causarão devastação social. Vemos aqui a capacidade de Camões de desviar o foco narrativo do herói Vasco da Gama – prestes a partir para uma das maiores aventuras humanas – para o pobre Velho do Restelo, a quem passa a palavra, dando a conhecer o ponto de vista contrário – e também sábio – a tudo aquilo que ele mesmo e seu poema glorificam.

A viagem de Vasco da Gama ocorrera entre 1497 e 1498; Camões termina sua epopeia quase cem anos depois, quando o Império vive um período de decadência, desmoronando aos poucos. O filósofo português Eduardo Lourenço reflete, já no final do século XX, sobre a desmesura e ousadia da aventura portuguesa em finais do século XV e começo do século XVI, período retratado em *Os Lusíadas*:

[...] no caso de Portugal, nação que à época contava menos de 2 milhões de habitantes, o sonho de controlar, reger e explorar comercialmente um espaço marítimo que se estendia das costas do Brasil ao Hindustão, do Golfo de Áden a Málaca, das portas do Japão às ilhas da Indonésia, confinava com a loucura: uma loucura que não podia durar muito tempo – meio século de país mediador entre o Oriente e o Ocidente –, loucura assumida como uma simples rotina de povo de marinheiros e de comerciantes lutando para ter o seu lugar ao sol, mas também como vocação e sonho imperial de povo que um longo passado de luta contra o islã convertera em cruzado de si próprio. No início do século XVI, com a conquista de Goa e de Málaca, o centro da nossa história – até então obscura e pobre, se a compararmos com a das nações poderosas e ricas da Europa, como França, Inglaterra, Flandres ou as grandes cidades – Estados da Alemanha e da Itália – transferiu-se para o oceano Índico[87].

O presente que vive Camões ao terminar *Os Lusíadas* é já o da perda do controle de parte das rotas comerciais do Oriente e do estatuto de grande país – passado o entusiasmo inicial com os descobrimentos, a sociedade vive o desencanto da decadência. O fortalecimento cada vez maior da Inquisição sufoca também a continuidade da produção científica e artística portuguesa, que começa a murchar, ficando em descompasso com os incríveis avanços do Renascimento em países como Itália e França. No Canto V, o episódio do Gigante Adamastor – personagem alegórico que personifica o cabo das Tormentas, depois chamado de cabo da Boa Esperança –

87. LOURENÇO, Eduardo. "Portugal: entre a realidade e o sonho". In: *A nau de Ícaro*. São Paulo: Companhia das Letras, 2001, p. 57.

refere-se indiretamente a esse presente de decadência, preconizando – do momento glorioso do passado em que Vasco da Gama dobra o obstáculo considerado intransponível – o mau agouro que adviria aos portugueses no futuro pela ousadia em conquistar os mares.

Como se vê, não foram gratuitos os clamores de Camões a D. Sebastião, a quem aconselha no Epílogo e nas mãos de quem coloca o futuro dos portugueses, que se tornará incerto e nebuloso pouco tempo após a publicação do poema: em 1578 ele desaparece no deserto; em 1580, Portugal é anexado pela Espanha, começando o período de sessenta anos da União Ibérica.

Em Portugal, o Sebastianismo – a espera pela volta mística de D. Sebastião – foi um movimento iniciado ainda no século XVI que teve repercussões nos séculos posteriores. Em várias partes da obra de Fernando Pessoa, por exemplo, D. Sebastião e o Sebastianismo aparecem. O adorável poema "Liberdade" é um dos pontos da obra pessoana em que a crença popular no retorno de D. Sebastião aparece:

Ai que prazer
Não cumprir um dever,
Ter um livro pra ler
E não o fazer!
Ler é maçada,
Estudar é nada.
O sol doira
Sem literatura.

O rio corre, bem ou mal,
Sem edição original.

E a brisa, essa,
De tão naturalmente matinal,
Como tem tempo não tem pressa...

Livros são papéis pintados com tinta.
Estudar é uma coisa em que está indistinta
A distinção entre nada e coisa nenhuma.

Quanto é melhor, quando há bruma.
Esperar por D.Sebastião,
Quer venha ou não!

Grande é a poesia, a bondade e as danças...
Mas o melhor do mundo são as crianças,
Flores, música, o luar, e o sol, que peca
Só quando, em vez de criar, seca.

O mais que isto
É Jesus Cristo,
Que não sabia nada de finanças
Nem consta que tivesse biblioteca...

No poema pessoano está presente a bruma – D. Sebastião, desaparecido no deserto africano, retornaria envolto em brumas. Também no Brasil é forte até hoje, especialmente no Norte e Nordeste, a presença do Sebastianismo. Obras muito conhecidas do público brasileiro, como o *Romance d'A Pedra do Reino* e o *Príncipe do Sangue do Vai-e-Volta*, de autoria do escritor pernambucano Ariano Suassuna, foram criadas a partir da constatação da reverberação do mito de D. Sebastião em terras brasileiras. Ainda hoje, quem visita o Maranhão no aniversário da capital São Luís – 8 de setembro – pode acompanhar a tradicional procissão em que compareçem representantes de crenças diversas e onde os quatro santos são levados em andores: São Luís de França, São Sebastião, Santa Bárbara e Nossa Senhora da Conceição. Ao perguntarmos, em setembro de 2011, a um habitante da cidade o motivo de São Sebastião estar entre os santos "escolhidos", tivemos a resposta de que o santo católico representado crivado de flechas é, em realidade, uma evocação do rei português D. Sebastião, que costuma ser visto nas dunas dos Lençóis Maranhenses...

Voltando à obra de Luís de Camões, no que diz respeito à língua, a publicação de *Os Lusíadas* pode ser considerada um marco da fixação definitiva do português, uma vez que a língua sofrerá poucas alterações significativas a partir de então. A língua de Camões e dos demais renascentistas portugueses constitui o que se considera o português clássico[88].

Camões morreu antes de conseguir publicar sua obra lírica, que, no entanto, começou a ser publicada logo após a sua morte. Também nesse campo sua produção foi ímpar, podendo ser considerada o ponto culminante da tradição que se iniciara no final da Idade Média. Dos trovadores medievais, toma a forma das redondilhas, que renova e transcende. Da influência clássica trazida da Itália por Sá de Miranda, adota e pratica com maestria sonetos e éclogas, odes e elegias. Homem de seu tempo, Camões reflete em sua obra toda a particularidade desse movimento em Portugal, onde o apogeu do sonho expansionista convive com a decadência, a vida livre com a morte certa. Em sua obra, trabalhou profundamente o intrincado contexto em que decorreu sua atribulada vida, marcada pela ousadia e pela desgraça, que transfigurou de maneira tão brilhante que acabou por tocar aquilo que es-

88. Paul Teyssier, em sua *História da Língua Portuguesa* (na tradução de Celso Cunha. São Paulo: Martins Fontes, 2004, p. 82), afirma que se fosse preciso fixar data ou acontecimento para marcar o início do período do português clássico – em que a língua está plenamente consolidada – data e acontecimento coincidiriam com a publicação de *Os Lusíadas*, em 1572. Diz Teyssier: "Para chegar a essa fase, o português sofreu, do século XIV ao XVI, uma série de transformações que tiveram como efeito fixar a morfologia e a sintaxe de tal maneira que, daí por diante, pouco variarão".

tava além do seu tempo: a condição humana. Realizou, enfim, uma obra que concomitantemente reflete seu tempo e o transcende, motivo pelo qual influenciou todos os períodos que se seguiram, do Barroco ao Pós-Modernismo. A própria dimensão do amor e da poesia amorosa em língua portuguesa é tributária de seu legado, seja em imagens, seja na definição simbólica dos abismos da alma e, especialmente, do amor. Camões foi um hábil leitor de todo o passado e presente literário europeus, os quais transcendeu e transfigurou, mesclando tudo o que leu à sua própria e rica experiência pessoal, resultando numa obra que, quinhentos anos mais tarde, ainda respira e exala vida.

Um soneto, em especial, merece ser citado, por seu poder evocativo da complexa relação entre a vida e a obra do poeta, e a leitura que ele nos deixou a respeito das circunstâncias da vida:

Erros meus, má fortuna, amor ardente
Em minha perdição se conjuraram;
Os erros e a fortuna sobejaram,
Que para mim bastava amor somente.

Tudo passei; mas tenho tão presente
A grande dor das cousas, que passaram,
Que as magoadas iras me ensinaram
A não querer já nunca ser contente.

Errei todo o discurso de meus anos;
Dei causa que a Fortuna castigasse
As minhas mal fundadas esperanças.

De amor não vi senão breves enganos.
Oh! quem tanto pudesse, que fartasse
Este meu duro Gênio de vinganças!

A professora Nelly Novaes Coelho nos ensina que, na lírica, "Camões foi a primeira grande voz que, no início dos tempos modernos (o Renascimento do séc. XVI), cantou o amor como a *grande via interior* que leva os homens à mais plena realização existencial"[89]. É também a professora quem nos chama a atenção para o caráter mutante do nosso mundo contemporâneo, pleno de tecnologias, e o relaciona à época de profundas mudanças vivenciada pelo próprio Luís de Camões. Como já dissemos, efetivamente o ano da morte de Camões é o ano da morte de Portugal como pátria. Anexado em 1580 à Espanha, Portugal experimenta um sufocamento como nação independente que então era e só retomará sua soberania sessenta anos mais tarde, em 1640. A realidade política nesse período voltou a unir Portugal e Espanha como Península Ibérica, mas de modo a contrariar os portugueses, desejosos de viver como nação independente.

89. COELHO, Nelly Novaes. *Versos de amor e morte. Luís Vaz de Camões*. São Paulo: Peirópolis, 2006, p. 6.

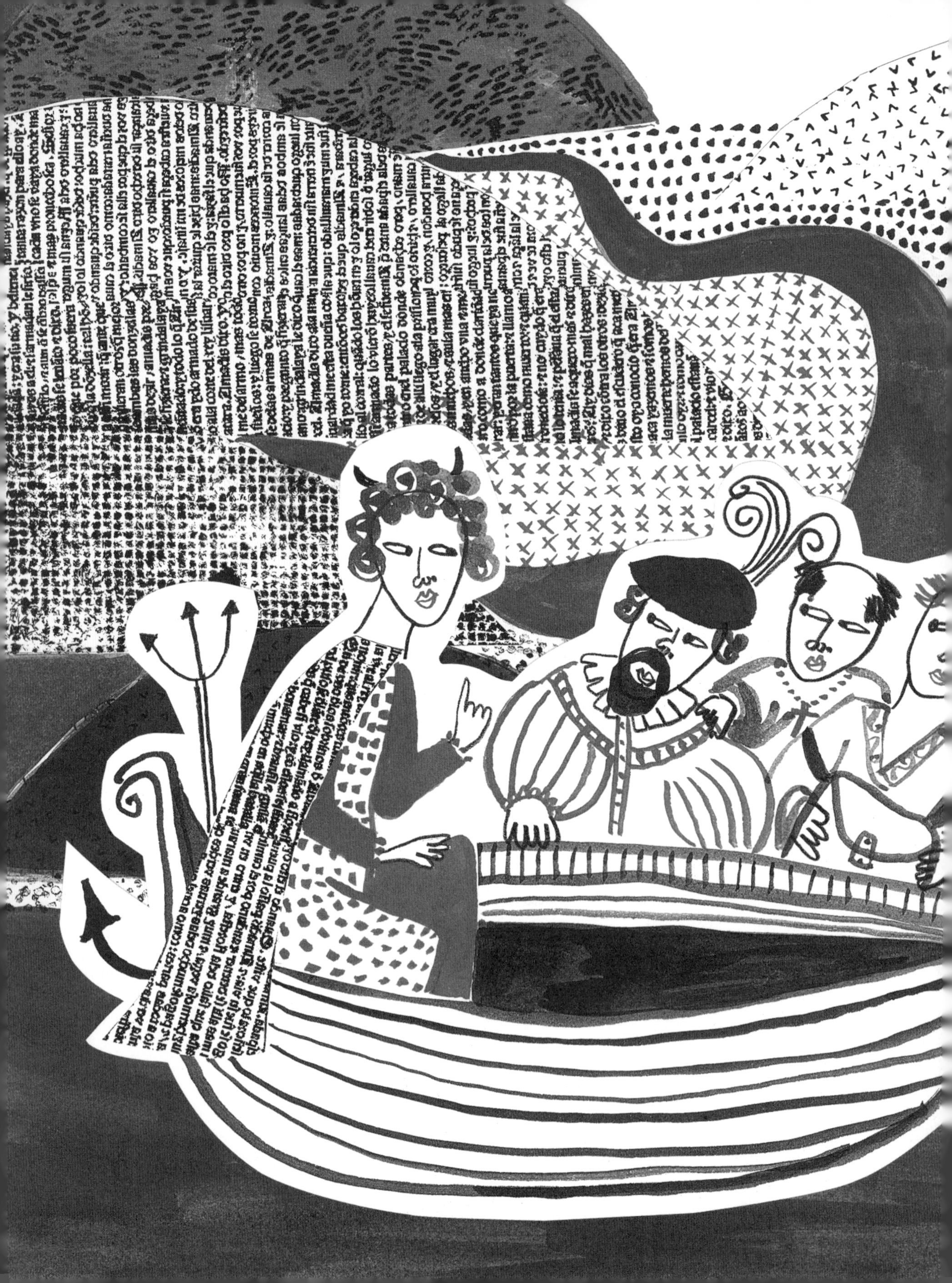

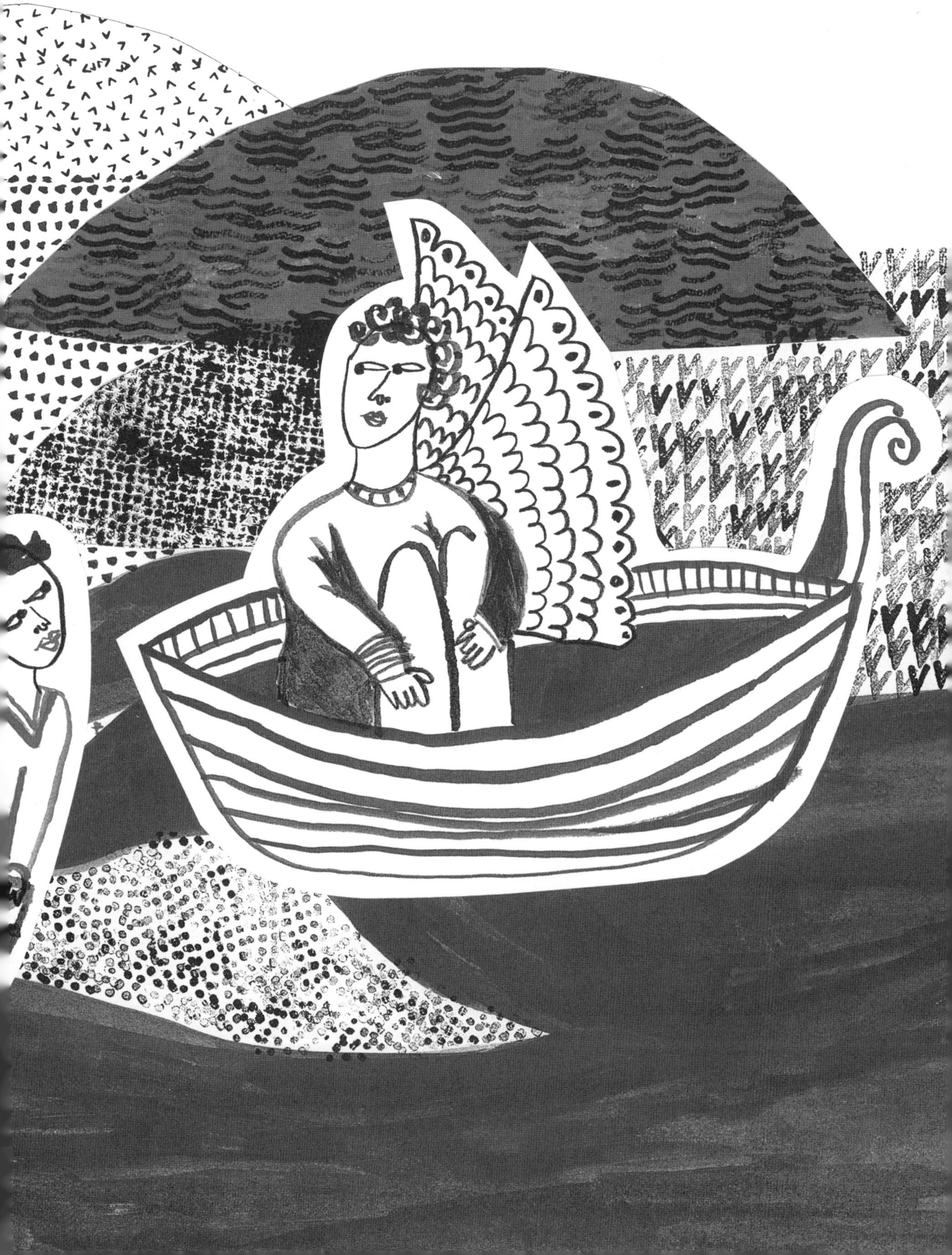

Adeus, adeus: embarcando numa certa jangada

Em 1934, 354 anos após a morte de Camões, Fernando Pessoa, também já perto do final de sua existência, publicou o único livro que teríamos dele em vida: *Mensagem*. Nesse conjunto de poemas, revisitou a história de Portugal e das navegações ligando o passado português de suas origens mais remotas ao século XX, que ainda estava pleno de promessas, embora já abalado pela Primeira Guerra Mundial.

A imensa aventura da expansão marítima não foi realizada sem dores, como refletiu Fernando Pessoa no poema "Mar português", parte de *Mensagem*:

Ó mar salgado, quanto do teu sal
São lágrimas de Portugal!
Por te cruzarmos, quantas mães choraram,
Quantos filhos em vão rezaram!

Quantas noivas ficaram por casar
Para que fosses nosso, ó mar!
Valeu a pena? Tudo vale a pena
Se a alma não é pequena.

Quem quer passar além do Bojador
Tem que passar além da dor.
Deus ao mar o perigo e o abismo deu,
Mas nele é que espelhou o céu.

O empreendimento gigantesco foi realizado e a face do mundo jamais voltaria a ser a mesma nesse primeiro grande momento de globalização causado pelas navegações. No entanto, as lágrimas não foram apenas portuguesas, multiplicando-se por mares até então não navegados: Japão,

China, Índia, Brasil, Angola, Cabo Verde, Guiné-Bissau, Moçambique, São Tomé e Príncipe, Timor-Leste foram e são países diretamente tocados pela expansão marítima portuguesa. A língua portuguesa esteve e está presente como língua oficial de vários deles. A literatura em língua portuguesa floresceu em quase todos, dando à literatura mundial, somente a partir do século XX, nomes notáveis como os de Machado de Assis, Guimarães Rosa, Luandino Vieira, Pepetela, José Craveirinha, Luís Carlos Patraquim, Mia Couto, Paulina Chiziane, Abdulai Sila, Conceição Lima, Armênio Vieira, Fernando Pessoa, Florbela Espanca, Agustina Bessa Luís, José Saramago, entre tantos outros que já nos encantam ou que estamos por descobrir.

Em 1986, José Saramago publicaria *A jangada de pedra*. No romance, desde a escolha do tema – o desligamento físico entre Península Ibérica e Europa a partir de fendas geológicas que se aprofundam – até o grupo de personagens protagonistas, escolhidos entre portugueses e espanhóis, os países aparecem unidos, reintegrados como naquele passado antes do estabelecimento dos estados nacionais, passado que visitamos no início desta conversa. Na década de 1980, Saramago sonha, então, com uma Península Ibérica novamente unida e voltada para si mesma. O grupo de personagens se une e caminha comunitariamente da Galícia – território onde se falava o galego-português, língua literária das origens literárias da Península Ibérica – ao extremo oposto do território espanhol, de onde se vê os Pireneus, agora extremo da Península que se transformou em ilha e navega pelo mar. Quando, unidos, chegam todos ao agora extremo leste da "jangada de pedra" em que a Península/Ilha se transformou, o movimento cessa. A agora "jangada de pedra" se fixa, no romance, próxima das antigas possessões coloniais – na África e Américas Central e do Sul. Aparecem na narrativa várias das personagens das literaturas ibéricas, algumas das quais vimos aqui: Amadis e sua amada Oriana, Sancho Pança, Dom Quixote... Mas, consciente da contemporaneidade, Saramago não deixa de lado Frankenstein, Sherlock Holmes e seu amigo Dr. Watson, visitados numa mesma obra, de modo a dialogar com a especial contribuição do realismo mágico latino-americano para a literatura universal. Antes do início da narrativa de *A Jangada de pedra*, uma frase ilumina para o leitor o caminho narrativo e marítimo que Saramago irá percorrer: a epígrafe, do autor cubano Alejo Carpentier, que diz *"Todo futuro es fabuloso"*. E se todo o futuro é fabuloso, ou seja, pleno de possibilidades extraordinárias e também de histórias (fábulas), que tal encerrarmos esta conversa com um convite para navegar pelos mares fabulosos e, agora, bem mapeados da literatura portuguesa, ou melhor, das literaturas de língua portuguesa? Nessas águas há tesouros insuspeitados, isso podemos garantir!

Deleita de comu
vos se vem da Olimpica
Dos dous avós, as almas
ũa na paz Angelica
ra polas batalhas
deu por armas
na Cruz
victoria ja pa

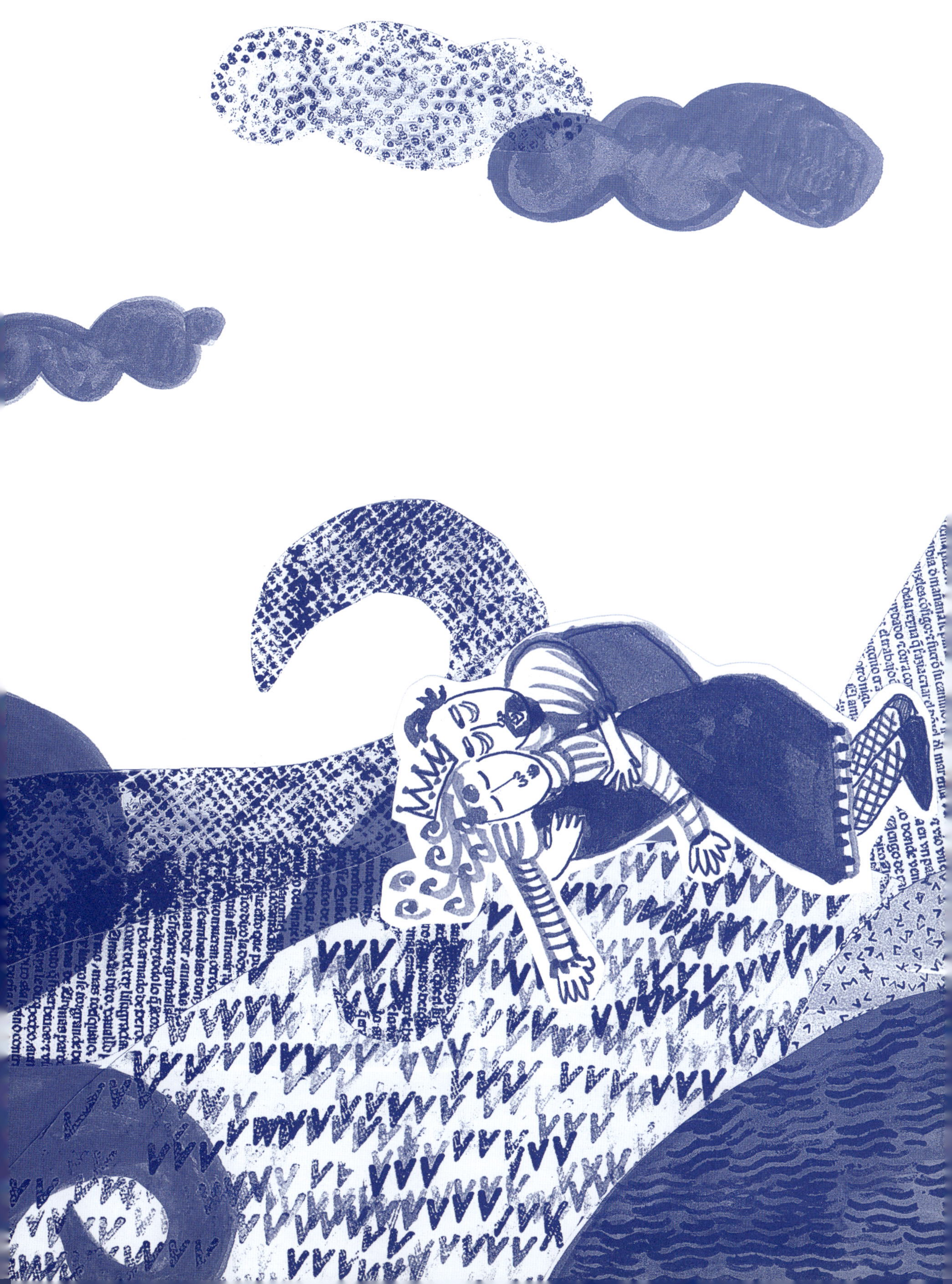

Copyright © 2012 Susana Ventura
Copyright © 2012 ilustrações Silvia Amstalden

Editora Renata Farhat Borges
Editora assistente Lilian Scutti
Produção editorial e gráfica Carla Arbex
Projeto gráfico Isabella Lotufo e Silvia Amstalden [tsa.design]
Ilustrações e capa Silvia Amstalden
Preparação Marília Pagliaro
Revisão Jonathan Busato

Editado conforme o Acordo Ortográfico da Língua Portuguesa de 1990.

Dados Internacionais de Catalogação na Publicação (CIP)
(Câmara Brasileira do Livro, SP, Brasil)

Ventura, Susana
Convite à navegação: uma conversa sobre a literatura portuguesa / Susana Ventura; ilustrações de Silvia Amstalden. – São Paulo: Peirópolis, 2012.

ISBN 978-85-7596-253-4

1. Língua portuguesa 2. Língua portuguesa - História
I. Amstalden, Silvia. II. Título.

12-02469   CDD-469

Índices para catálogo sistemático:
1. Língua portuguesa 469

1ª edição, 2012 | 1ª reimpressão.

Missão
Contribuir para a construção de um mundo mais solidário, justo e harmônico, publicando literatura que ofereça novas perspectivas para a compreensão do ser humano e do seu papel no planeta.

Editora Peirópolis

A gente publica o que gosta de ler: livros que transformam.

Rua Girassol, 128 | Vila Madalena | 05433-000 | São Paulo SP
tel.: (11) 3816-0699 | fax: (11) 3816-6718
vendas@editorapeiropolis.com.br
www.editorapeiropolis.com.br